ladyvalkyrie.com

Teleny

Oscar Wilde

Colección Romance y Fantasía

Lady Valkyrie, LLC
United States of America
Visit ladyvalkyrie.com

Library of Congress Cataloguing in Publication Data available

ISBN 978-1-61951-309-9

Índice por Capítulos

❀1❀

Mi interlocutor, con tono muy interesado y algo impaciente, dijo:

—Des Grieux, me gustaría conocer todos los detalles de esa apasionante historia, pero desde el principio. Le ruego que me cuente todo lo que pasó desde el mismo momento que se inició la relación.

—De acuerdo. Para mí será como volverlo a vivir. Todo empezó en Queen's Hall, durante un concierto de caridad en que él actuaba. Es conocido por todos que considero a los artistas amateurs como una de las numerosas plagas de nuestra moderna civilización, pero en esta ocasión como era mi madre una de las organizadoras del evento, tenía la obligación de acudir.

—Ya, pero me parece que él no era un simple aficionado. ¿No es así...?

—Tiene razón. No lo era; por esta época empezaba ya a tener un cierto nombre.

Suspiró Des Grieux, y a continuación dijo:

—Volvamos a mi relato. Llegué algo tarde. Ya estaba sentado delante del piano cuando yo ocupé mi asiento en mi palco de orquesta.

Reconozco que no estaba muy animado a seguir hasta el final. Primero empezó a tocar una de mis melodías preferidas, una de esas ligeras y graciosas que parecen estar impregnadas de un perfume de lavanda ambarina y que recuerdan a Lulli, A Watteau y a esas bellas marquesas demasiado empolvadas, cubiertas de satén, que nerviosamente juegan con su abanico.

Observé, que antes de finalizar su pieza, paseó varias veces su mirada por el lado de las damas organizadoras, y en el momento de ir a levantarse mi madre, que se hallaba sentada detrás de mí, me tocó el hombro para hacer una de esas inútiles e intempestivas observaciones con que a menudo suelen importunarnos las mujeres, de modo que cuando al fin pude volverme de nuevo para aplaudir, él había desaparecido.

—¿Y qué ocurrió?

—Déjeme recordar un momento. No estoy totalmente seguro, pero creo que luego hubo algunos cantos.

—¿Y él ya no actuó más?

—¡Oh sí! Volvió a mitad del concierto, y mientras saludaba antes de sentarse, sus ojos parecían buscar a alguien por entre las jardineras, fue entonces cuando nuestras miradas se encontraron por primera vez.

—¿Qué tipo de hombre era?

—Era un joven al que le yo le calcule que tendría unos veinticuatro años, de talle esbelto, cabellos alisados de un extraño color rubio ceniza, matiz éste debido, como más tarde pude saber, a un ligera capa de polvo, y que contrastaba de manera demasiado dramática, con el negro de sus pestañas y de su fino bigote. Su tez tenía esa blancura mate propia de los jóvenes artistas. Sus ojos, que a primera vista parecían negros, eran en realidad de un color azul muy sombrío y, aunque a primera vista parecían tranquilos, cualquier profundo observador hubiera notado que en ellos, a veces tenía una espantosa fijeza, como si se hallaran capturados por alguna lejana y terrible visión, para seguidamente pasar a tener una expresión de terrible hastío y pesar.

—Pero ¿por qué esa tristeza?

—Cuando yo le hice esta misma pregunta, él alzó un poco los hombros. Después, respondió riendo: «¿Nunca ha visto usted fantasmas...?» Luego, cuando hubimos alcanzado un mayor grado de intimidad, me respondió: «¡Este es mi destino...! Pero, ¡Es un terrible destino el mío...!» Después, reponiéndose de inmediato y frunciendo las cejas, añadió: «Nunca me rendiré».

—Esta claro que tenía un carácter muy sombrío y reconcentrado.

—No; en absoluto. Sólo muy supersticioso, como lo son casi todos los artistas.

—Por un comentario anterior, ¿es que tenía él es su mirada algún poder magnético?

—En lo que a mí concierne, ciertamente sí. Pero sus ojos no eran lo que podrían llamarse unos ojos hipnóticos: eran mucho más soñadores que penetrantes, pero con un poder de penetración tal, no obstante, que la primera vez que nuestras miradas se encontraron, los sentí hundirse hasta el fondo de mi corazón; y aunque su expresión no era excesivamente sensual, tengo que reconocer, que cada vez que él fijaba sus ojos en los míos, yo sentía hervir la sangre en mis venas.

—No ha dicho nada sobre su belleza, pero yo he oído muchas veces decir que era verdaderamente hermoso. ¿Es esto cierto? Yo no puedo estar seguro de ello porque solo le vi en una ocasión.

—Bueno... No era de una belleza asombrosa, aunque tenía un rostro agradable. Su manera de vestir, aunque iba siempre muy correcto, demostraba bastante excentricidad. Aquella tarde, por ejemplo, llevaba en el ojal una ramita de heliotropo blanco [*], a pesar de ser la moda entonces las camelias y las gardenias. Sus maneras eran las de un perfecto caballero, pero en escena, como ocurre con los extranjeros, exhibía algo de rigidez.

[*] *Heliotropo: Planta boraginácea, originaria de Perú, de muchas ramas de hojas verdes perennes, con flores blancas o azules pequeñas y olorosas.*

—¿Y después de haberse cruzado sus miradas?

—Se sentó y comenzó a interpretar su partitura. Yo consulté el programa. Era una rapsodia húngara, obra de uno de esos compositores desconocidos, cuyo nombre puede desencajarle a uno la mandíbula; el efecto, sin embargo, era fascinante. En realidad, no hay música en el mundo tan excitante como la de los tziganos. Ésta, por ejemplo, partiendo de una nota menor.

—¡Oh, por favor! No siga... Puede usted evitar todos los tecnicismos; sabe que no soy capaz de distinguir una nota 'mi' de un 'sol'.

—Pero eso no importa. Si alguna vez ha escuchado usted una tsardas, habrá notado sin duda alguna que la música húngara, a pesar de tienen muchos y excelentes efectos rítmicos, se aparta bastante de nuestras reglas armónicas y choca bastante con nuestros oídos. Pero, estas melodías que al principio nos resultan algo absurdas, poco a poco van enamorándonos, hasta terminar por fascinarnos con su extraordinaria belleza. Están llenos de adornos envolventes que les otorgan un carácter totalmente lascivo y sensual.

—Por favor, le ruego que deje todas esas explicaciones y siga con su relato.

—Es que todo lo que tenga que ver con la música es muy importante, ya que es totalmente imposible separar a mi personaje de la melodía de su país; aunque no le guste, tengo que aclararle que, para comprenderlo, primero es preciso sentir el encanto que desprenden los cantos tziganos. Le aseguro que cualquier persona que haya sido impresionada alguna vez por una tsardas, responderá siempre con voluptuosos sobresaltos a estas notas mágicas.

Estas melodías empiezan generalmente con un andante suave y bajo, algo que recuerda al sentimiento de una esperanza perdida; luego, cambiando de ritmo, y cruzando con toda celeridad, se entrecortan con algo parecido a los sollozos de los amantes que se dicen adiós y, sin perder un átomo de dulzura, antes bien, ganando cada vez más en vigor y solemnidad, alcanzan en un prestissimo entrecortado de suspiros el paroxismo de una pasión misteriosa que, primeramente, termina en un canto fúnebre, para estallar después en un sonido ardiente y guerrero.

Él, en persona, representaba en belleza y carácter esta música asombrosa y placentera. Al escucharlo, yo me sentía como hechizado; sin embargo, sería incapaz de decir si mi encantamiento provenía de la composición, de la ejecución o del artista como tal. En aquel mismo momento, empezaron a surgir delante de mí los más extraños cuadros. Primeramente, la Alhambra en toda la magnificencia de su arquitectura morisca, maravillosa sinfonía de piedras y ladrillos, tan similar a los arabescos de estas extrañas melodías de Bohemia. Poco a poco, un fuego devorador fue encendiéndose en mi pecho. Una sensualidad irresistible se iba apoderando de mí, y empezaba a sentir las mordeduras de un amor indomable y casi criminal. Sin poderlo evitar, empezaba a abrasarme con la pasión ardiente de los hombres que viven en los climas muy tórridos; estaba sediento de lujuria, y hubiera querido apurar hasta la última gota aquella copa de filtro afrodisíaco y excitante.

Pero, de pronto, la visión cambió. No era ya España, sino una tierra árida y desnuda; las arenas ardientes de Egipto, entre las cuales transcurre lentamente el agua del Nilo, allí donde el emperador Adriano, inconsolable, estaba llorando al amante tan ardientemente amado pero ya perdido para siempre. Sacudido por la música embriagadora, comenzaba a comprender lo que hasta entonces me había parecido tan extraño: la pasión del poderoso monarca por el bello esclavo griego, por aquel Antínoo que murió por amor de su amo.

La sangre me afluía del corazón a la cabeza, y corría por mis venas como una colada de plomo fundido.

Nuevo cambio de decorado. Nos encontramos en las suntuosas mansiones de Sodoma y Gomorra, soberbias, graciosas, feéricas [*] mientras la notas del pianista susurraban en mi oídos, con un sofoco de ardiente concupiscencia, el atronar de una cascada de besos.

[*] *Feéricas: Son entidades con voluntad, sensibilidad y conciencia que podrían estar en otras dimensiones distintas que las del ser humano.*

Fue en este momento de mi visión cuando el artista se volvió hacia mí y me lanzó una larga y muy lánguida mirada, que de nuevo se cruzó con la mía. ¿Era el mismo, Antínoo, o bien uno de los ángeles enviados a Lot por el Eterno...? El encanto completamente irresistible de su belleza era tal, que yo quedé fascinado, mientras la música parecía cantar en mi oídos:

Aspira su mirada como el vino,
Mientras que su esplendor se funde
Lánguido en medio del silencio,
Como un acorde dentro de un acorde...

Con esto mi deseo aumentó de intensidad, y la necesidad de satisfacerlo se convirtió para mí en verdadero sufrimiento, mientras el fuego encendido en mí pasaba a ser una llama devoradora que me abrasaba; mi cuerpo entero quedó arrasado por una llamarada erótica. Sentía los labios secos, la respiración jadeante, los miembros rígidos, las venas hinchadas y, sin embargo, me mantenía tan impasible como todos los que me rodeaban. De pronto, me pareció sentir que una mano invisible se deslizaba por mis rodillas; algo en mi cuerpo fue tocado, cogido, estrechado, y una sensualidad indescriptible embargó de pronto todo mi ser. La mano subía y bajaba, lentamente al principio, luego cada vez más deprisa, siguiendo el ritmo del canto. El vértigo se apoderó de mi cerebro, una lava ardiente corrió de pronto por mis venas, y sentí saltar algunas gotas, mientras temblaba totalmente.

Con una nota sobreaguda, el artista dio fin a su actuación, en medio de los aplausos de la sala. Yo sólo pude sentir como unos truenos acompañados de relámpagos, al tiempo que en medio de una furiosa vorágine, una lluvia de rubíes y de esmeraldas empezaba a derramarse sobre las Ciudades de la llanura. Estaba sintiendo a él, el pianista, que se hallaba desnudo, lívido, en medio de todo, desafiando a los rayos del Cielo y las llamas del Infierno. De repente, en medio de mi visión insensata, lo vi tomar las formas de Anubis, el dios egipcio de cabeza de chacal, para poco a poco ir transformándose en un repugnante cuadrúpedo. Semejante visión me sobresaltó por completo y me eché a temblar, presa de la náusea, mientras él, de manera igualmente brusca, volvía a recobrar su verdadera figura.

Incapacitado para aplaudir en tales condiciones, me dejé caer en mi asiento, totalmente mudo, inmóvil, tembloroso, aniquilado, con los ojos fijos en la figura del artista, quien, de pie en medio del escenario, respondía a las aclamaciones del público con saludos distraídos, casi desdeñosos, pareciendo buscar de tanto en tanto, con las miradas cargadas de una ardiente ternura, mis propios ojos; sólo los míos. ¿Cómo podría describirle mi alegría? ¿Era posible que entre toda aquella multitud me hubiera escogido sólo a mí, para que me amara?

Esta alegría pronto dejó paso a la amargura de los celos. Me preguntaba si tal vez, no me habría vuelto loco.

Lo miré una vez más; una profunda melancolía ensombrecía su rostro, y fue en aquel momento cuando descubrí, de manera clara y distinta, algo horrible. Vi, un pequeño puñal clavado en su pecho; de la herida veía manar la sangre pecho abajo, y me eché a temblar y a gritar, hasta tal punto me parecía real mi visión. La cabeza me empezó a dar vueltas, me sentía desfallecer, y tuve que apoyarme en el respaldo de mi asiento, cubriéndome los ojos con la mano.

—No me extraña su proceder, porque, ¡en efecto, era una extraña alucinación! ¿Cuál pudo ser su causa?

—Era algo más que una alucinación, como podrá darse cuenta más tarde. Cuando volví a levantar la cabeza, ya se había ido. Giré la cabeza y me encontré con el rostro de mi madre que, al ver mi palidez, me preguntó si estaba enfermo. Yo, evadiéndome, le respondí que aquel calor me resultaba insoportable.

Mi madre, sonriendo, me dijo:

—Tienes razón. Hace mucho calor. Vete al vestíbulo, y podrás tomar un vaso con agua.

—No; prefiero volverme a casa.

Después de lo ocurrido, me resultaba imposible seguir oyendo música aquella tarde. En el estado de nerviosismo en que me encontraba, cualquier sonido vulgar me hubiera llevado a la exasperación, y una melancolía briosa hubiera podido producirme un síncope.

Al ir a levantarme, me noté tan débil, que me parecía caminar en sueños. Sin apenas darme cuenta, me dejé llevar maquinalmente por la marcha de otras personas, que me condujeron hasta el vestíbulo. Éste se hallaba casi vacío. Al fondo un grupo de elegantes estaba rodeando a un joven vestido con frac, del que no pude ver más que la espalda. Entre el grupo, pude distinguir a Bryancourt.

—¿El hijo del general?

—El mismo.

—Me acuerdo de él. Pretendía siempre llamar la atención con su forma de vestir.

—Así es. Aquel día, por ejemplo, destacaba sobre los demás componentes del grupo, vestidos todos ellos de negro, luciendo un traje de franela blanca, con su habitual cuello, muy abierto, y una corbata Lavalliere roja, [*] de enorme nudo.

[*] *Corbata Lavalliére: la corbata tradicional de la época era de color gris, blanco y negro pero los artistas para distinguirse empezaron a usar la corbata Lavalliere, que era una corbata mucho más ancha y floja con dos extremos iguales, pero lo que más les destacaba del los demás era que estaban hechos en un tejido muy colorido y alegre.*

—Para mostrar su hermoso cuello y su garganta.

—Sí, es un hermoso muchacho, al que siempre he intentado evitar. Tenía una peculiar manera de mirar, que acababa haciéndote sentir incómodo. Hay hombres que, al mirar a las mujeres, parecen querer desnudarlas. Bryancourt mostraba esta indecente manera de mirar con todo el mundo. De manera instintiva yo notaba cómo sus ojos me registraban por todas partes, aumentando aún más mi timidez.

—¿Pero no tenía usted ninguna relación con él?

—Sí; habíamos estado en el mismo colegio, pero siendo yo tres años más joven que él, acudía a una clase inferior. Para ser breves, aquella tarde, nada más verle, empecé la maniobra de retirarme, en el mismo momento que el individuo del frac se dio la vuelta.

Era el pianista.

Una vez más, nuestras miradas volvieron a cruzarse, experimentando yo una sensación extraña, una especie de fascinación que me dejó petrificado. Como hipnotizado, en lugar de abandonar el salón, y contra mi voluntad, empecé a acercarme al grupo.

El músico, sin mostrar en ello inclinación alguna, mantuvo los ojos sin apartarlos de los míos. Yo me sentí temblar de la cabeza a los pies. Parecía querer atraerme lentamente hacia él. Y la sensación, debo confesarlo, era tan agradable que me abandoné sin resistencia.

Bryancourt, que aún no me había visto, se giró, y al reconocerme, me dirigió, como era su costumbre, un leve saludo protector. En los ojos del pianista brilló por un momento una chispa al acercarse al oído de Bryancourt y decirle algo, a continuación de lo cual el hijo del general, por toda respuesta, vino hacia mí, y tomándome de la mano, dijo:

—Camille, permítame presentarle a mi amigo René. M. René Teleny, M. Camille Des Grieux.

Ruborizado, respondí al saludo. El pianista me tendió

su mano sin guantes. En mi estado de nervios, yo había también retirado los míos. Puse pues mi mano desnuda en la suya. Era una mano perfecta para ser de hombre, más bien grande que pequeña, firme y suave, con unos dedos largos y algo afilados, que oprimía a la vez con vigor y sin choque.

¿Quién no ha experimentado las diversas sensaciones que produce el contacto con una mano...? La mano es índice del temperamento de la persona. Algunas son en pleno invierno cálidas y ardientes, otras frías y hasta heladas en pleno calor. Las hay secas y apergaminadas, y otras húmedas y viscosas. Las hay carnosas, esponjosas, musculadas, delgadas, huesudas y descarnadas. La presión de unas es fuerte como un torno, la de otras, blanda como un pastel. Hay manos que son productos artificiales de nuestra civilización moderna, que presentan deformidades similares a las de los pies de las damas chinas, manos continuamente aprisionadas por los guantes durante el día, y a menudo envueltas en cataplasmas durante la noche o al recibir los cuidados de la manicura; manos tan blancas como la nieve, cuando no castas como el mismo hielo. ¡Está la delicada mano ociosa que evita el contacto rugoso de la mano morena y manchada del obrero, a la que el duro trabajo ha transformado en callo uniforme! Hay manos discretas, y manos que palpan con toda indecencia; manos cuyo apretón hipócrita expresa la prevención de quien las estrecha; manos aterciopeladas, untuosas, clericales y lánguidas, de un lado está la palma abierta del pródigo, de otra la garra encorvada del usurero. Hay, por fin, la mano magnética, que parece tener una secreta afinidad con la propia, y cuyo solo contacto basta para quebrantar nuestro sistema nervioso y llenarnos de goce.

¿Cómo expresar mis propias sensaciones bajo la presión de la de Teleny? Su mano prendió en mí toda una luminosa hoguera, y, cosa extraña, al mismo tiempo yo experimentaba el dulce frescor del beso de una mujer. Desde mi mano consiguió deslizarse por todo mi ser, acarició mis labios, mi garganta, mi pecho; mis nervios trepidaban cargados de deleite; este temblor descendía por mis muslos, hasta alcanzar a Príapo [*] que, sacado del sueño, levantó la cabeza. Esta mano tomaba posesión de mí todo y yo me sentía dichoso de pertenecerle.

[*] *Priapo: era uno de los dioses de Grecia y Roma. Su figura era la un hombre pequeño y barbudo pero dotado de un gran pene. A pesar de estar en constante erección, era impotente.*

Hubiera deseado decir a este encantador algo amable para agradecerle el placer que su actuación me había procurado; ¿pero qué vulgar alabanza podía servir para expresar mi admiración? En su lugar, dije:

—Señores, temo estar privándoles de su música.

Con esto, quise hacer notar que precisamente estaba a punto de marcharme.

—El concierto le aburre. ¿No es así?

—Muy al contrario, pero después de haberle oído a usted, no podría soportar oír a otros artistas.

Él pareció halagado, y sonrió.

Bryancourt, en tono adulador, dijo:

—Verdaderamente, René, reconozco que esta vez se ha superado. ¡Ha estado excepcional! Jamás le he oído tocar con tanto brío y pasión.

—¿Sabe usted por qué?

—No, a no ser por tener la sala abarrotada.

—¡No por Dios...! No es eso. Es muy simple. Mientras me hallaba al piano, pude sentir claramente que alguien me escuchaba.

—¡Oh!, «alguien» —exclamaron riendo a coro los jóvenes elegantes.

—En una audiencia inglesa, y especialmente tratándose de un concierto de caridad, ¿cree usted realmente que hay muchas personas que escuchen, quiero decir, que escuchen de verdad, con todo su corazón y con toda su alma...? Los jóvenes galantes se ocupan de las damas, éstas se ocupan de sus maquillajes, los padres de familia que se aburren piensan en las alzas y bajas de la Bolsa, o bien cuentan las espitas de gas y calculan lo que puede costar la iluminación de la sala.

—Sin embargo, en medio de semejante multitud, siempre hay más de un oyente atento —dijo uno.

—Sí. Sin duda —replicó sonriendo el artista—; por ejemplo, la joven damisela que ha ejecutado cien veces la pieza que acabo de tocar; pero había sólo uno... ¿Cómo les podría explicar yo...? Había sólo uno entre todo el público, que realmente me escuchaba. Yo le llamo el oyente simpático.

—¿Y qué entiende usted por oyente simpático?

—Quiero decir, alguien con quien espontáneamente parece establecerse una fuerte corriente, alguien que, al escucharme, experimenta exactamente las mismas sensaciones que yo experimento al tocar, y que tal vez comparte conmigo idénticas visiones.

Uno de los jóvenes del grupo, muy sorprendido, le preguntó:

—¿Cómo? ¿Es que tiene usted visiones mientras toca?

—No de ordinario, pero sí cada vez que me siento escuchado por un oyente simpático.

—¿Y le ocurre a menudo tener la presencia de semejante oyente? —Dije yo, picado por la envidia.

—¿A menudo...? ¡Oh, no, nada de eso...! Raramente; muy raramente. Casi nunca e incluso...

—¿Incluso qué...?

—Jamás como esta tarde.

—¿Y cuando no tiene usted el oyente que desea?

—Entonces toco maquinalmente, como sumido en una especie de somnolencia.

Bryancourt, sonriendo con mucha ironía, al tiempo que me lanzaba una mirada de soslayo, preguntó:

—¿Puede usted adivinar quién era esta tarde su «oyente especial»?

—Sin duda alguna, habrá sido una de las numerosas bellas damas presentes en la sala —dijo otro—. Es usted todo un conquistador, señor.

—Sí —apoyó un tercero—, no deben precisamente faltarle las conquistas. Es bien sabido el poder que la música ejerce sobre el bello sexo.

—¿Se trata acaso de una hermosa virgen? —Preguntó Bryancourt.

Teleny me miró muy fijamente a los ojos, sonrió y respondió:

—Tal vez lo sea.

—¿Y espera usted llegar algún día a conocer a su «oyente»? —Prosiguió Bryancourt.

Teleny hundió de nuevo su mirada en la mía y respondió:
—Quizás.

—¿Y de qué indicios se valdrá para descubrirlo?

—Sus visiones deben coincidir con las mías.

—De tener yo visiones —dijo otro son sonrisa lasciva—, sé muy bien cuáles serían.

—¿Y cuáles serían? —Preguntó Teleny.

—Dos senos de lirio con dos pimpollos de rosa en su centro y, más abajo, dos labios húmedos semejantes a dos rosadas conchas que, al abrirse voluptuosamente, descubren un delicioso recipiente de carne coralina, entre el mohín de dos labios rodeados de un toisón de oro o de ébano.

Otro de los jóvenes del grupo, cuyo ojos chispeaban como los de un sátiro en estado priápico [*], dijo:

[*] *Priápico: cuando sin tener ningún deseo sexual, se sufre de una erección continua y muy dolorosa.*

—Basta, basta, amigo mío; no siga que mi boca se humedece ante la lujuriosa visión que narra y mi lengua se abrasa por gustar del sabor de esos labios. ¿Es ésta acaso su visión, Teleny?

El pianista esbozó una sonrisa enigmática.

—Tal vez—volvió a decir.

—En lo que a mí se refiere —exclamó otro de los jóvenes que todavía no había hablado—, la visión que la rapsodia húngara me evoca y me hace trasladarme, es a vastas llanuras, pobladas de campamentos bohemios con hombres que llevan sombreros redondos, amplios pantalones y chaquetillas cortas, y que montan en caballos salvajes.

—O soldados vestidos con pellizas y calzados con grandes botas, que danzan con muchachas bonitas de ojos muy negros —añadió otro.

Yo sonreía pensando cuánto difería mi visión de la suya. Teleny, que me observaba, notó mi sonrisa.

—Señores —dijo—, lo suyo son simples evocaciones de cuadros y ballets.

—¿Y la suya? —Preguntó Bryancourt. Eso mismo iba yo a preguntarle.

—Mi visión sería muy diferente, respondió.

—¿Tal vez el otro lado, o sea, el reverso de la medalla, o hablando francamente, la parte trasera? —Interrumpió, riendo, otro—. Dos hermosas ubres blancas como la nieve y, debajo de ellas, en un profundo valle, un pozo, un pequeño agujero de sombríos bordes, o rodeado tal vez de un anillo castaño.

—Díganos ahora las suyas —insistió Bryancourt.

—Las mías son muy vagas e indistintas —respondió el artista— y se borran rápidamente que apenas puedo acordarme de ellas.

—Pero son espléndidas, ¿no es así?

—Y horribles también.

—Como el cuerpo divino de Antínoo [*] visto a la luz plateada de una luna de ópalo, que flota sobre las lívidas aguas del Nilo —intervine yo.

[*] *Antínoo: según el mito griego, era el hijo de Eupeites. Era violento y bruto. Intentó enamorar a Penélope en ausencia de su marido, Odiseo, que luchaba en la Guerra de Troya.*

Los jóvenes del grupo, asombrados, me miraron.

Bryancourt reía maliciosamente.

—Es usted poeta o pintor —dijo Teleny, examinándole con los ojos entreabiertos.

Y luego una pausa:

—Tiene usted razón al hostigarme, pero no hay que tomar en serio mis palabras de visionario; siempre hay un grano de locura en el cerebro de todo artista.

Y disparando sobre mí el sombrío dardo de sus pupilas cargadas de tristeza, continuó:

—Cuando usted me haya conocido mejor, verá que hay en mí mucho más de loco que de artista.

Y sacando, después de decir esto, un fino pañuelo de lino impregnado de un perfume embriagador, enjugó las gotas de sudor que le cubrían la frente.

—Y ahora —añadió son una extraña sonrisa— que mis tonterías no les entretengan un minuto más, o las damas patrocinadoras acabarán por enfadarse y no me agrada disgustarlas. Por otro lado, mis colegas podrían decir que los retengo aquí por envidia hacia ellos; ya que no hay nadie más propenso a los celos que los aficionados, ya sean actores, cantantes o instrumentistas; así pues, ¡hasta la vista!

Y con un saludo aún más profundo que el que había dirigido al público, se preparaba ya a salir, cuando se detuvo de repente:

—Pero usted, señor Des Grieux, había dicho antes que no tenía intención de permanecer aquí. ¿Puedo, por tanto, solicitar el placer de su compañía?

—Con todo gusto —respondí yo apresuradamente.

Nueva sonrisa irónica de Bryancourt. ¿Por qué razón?, me pregunté yo. Luego, tarareó un pareado de Madame Angot, opereta entonces en boga, del que este trozo, dirigido a mí, pudo llegar a mis oídos:

Y se dice que él es el favorito...

Teleny, que había oído el verso tan bien como yo, se encogió de hombros.

—Hay un coche esperándome —dijo, pasando su brazo en torno al mío—; sin embargo, si usted prefiere caminar...

—Como usted quiera. Hacía un calor sofocante dentro de la sala.

—Así es. Asfixiante, en efecto —repitió él, pensando evidentemente en otro cosa.

Y luego, de golpe, como asaltado por una idea repentina:

—¿Es usted supersticioso?

—¿Supersticioso? —Exclamé yo, sorprendido por lo imprevisto de la pregunta—. Sí, un poco.

—Yo lo soy en exceso. Es parte de mi naturaleza, en la que domina el elemento bohemio. Se dice que las gentes bien educadas no son supersticiosas. Pero, en primer lugar, yo recibí una educación detestable; y luego, creo que si de verdad conociéramos los misterios de la naturaleza, probablemente podríamos explicar las extrañas coincidencias que constantemente se nos ofrecen. Pero no sabemos nada.

Deteniéndose bruscamente, dijo de pronto:

—¿Cree usted en la transmisión del pensamiento, de los sentimientos, de las sensaciones?

—Si tengo que decir la verdad, jamás me he parado ha pensar en esas cosas.

—Es preciso creer en ello —añadió él en un tono algo dominante—. Por ejemplo, esta tarde, ambos hemos tenido la misma alucinación y en el mismo momento. Va usted a darse cuenta de que es cierto lo que digo: lo primero que lo asaltó fue una visión de la Alhambra chispeando bajo los rayos del sol. ¿No es así?

—Sí, así es —dije yo estupefacto.

—Y en ese preciso momento, usted empezó a gozar del sentimiento de un amor ardiente que le sacudía el cuerpo y el alma. ¿Es así o no es así? Y luego vino Egipto, y con él Antínoo y Adriano [*]. Usted era el emperador y yo era el esclavo.

[*] *El emperador Adriano y su esclavo Antínoo: esta será la pareja masculina más famosa de todo la historia. Este amor ocurrió en la Roma imperial. La pasión amorosa por su esclavo Bitinio Antínoo que murió prematuramente, pasó a ser parte de la historia porque Adriano, levantó templos y estatuas en su honor.*

Y añadió plácidamente, hablando casi para sí mismo.

—¿Quién sabe? Tal vez un día tenga que morir yo por usted, como Antínoo murió por su amo— y sus facciones adoptaron la expresión dulce y resignada que puede contemplarse en las estatuas clásicas de los semidioses.

Mi estupor iba en aumento.

Instantes después, siguió, diciendo:

—¡Oh...! ¡Creo que usted piensa que estoy loco...! Pero no lo estoy. No hago más que describir los hechos. Usted no se siente encarnando la personalidad de Adriano, porque todavía no tiene la costumbre de este tipo de visiones; pero todo se le aclarará un día, muy pronto. En lo que a mí concierne, debo decirle que la sangre asiática corre por mis venas y...

No llegó a acabar la frase. Caminamos un rato en silencio, y después de un rato, continuó:

—¿No notaba usted que yo me giraba de su lado, mientras ejecutaba la gavota? Acababa de sentir entonces su presencia, y lo buscaba a usted con los ojos sin poder descubrirlo. ¿Se acuerda usted?

—En efecto, sus miradas se volvían hacia mi lado.

—Y usted estaba celoso.

—Sí —murmuré.

Por toda respuesta, apretó mi brazo contra sí, y tras una breve pausa, añadió, precipitadamente y en voz baja:

—Es preciso que usted sepa que no hay muchacha en el mundo que consiga llamar mi atención. Y que jamás podré amar a una mujer.

Mi corazón latía muy violentamente, mientras sentía como un nudo en la garganta.

«¿Por qué me cuenta esto?», me pregunté.

—¿No llegó usted a respirar una especie de perfume?

—¿Un perfume? ¿Cuándo?

—Mientras yo tocaba la gavota. ¿Será usted capaz de haberlo olvidado?

—¡Sí...! ¡Tiene usted razón! ¿Qué perfume era aquél? ¡Ah sí...! Lavanda ambarina.

—Sí, eso mismo. Un olor que a usted no le agrada y que yo detesto. ¿Cuál es su olor favorito?

—El de heliotropo blanco —dije yo.

Sin responderme, sacó un pañuelo del bolsillo y me lo dio a oler.

—Nuestros gustos, como puede ver, son exactamente los mismos.

Y, al decir esto, me envolvió con una mirada tan llena de pasión, tal voluptuosa, que el ardor carnal que de ella exhalaba me hizo casi desfallecer.

—Ya lo ve usted. Siempre llevo conmigo un ramillete de heliotropo blanco; permítame que se lo ofrezca. Su perfume me traerá de nuevo a su recuerdo, esta noche, y tal vez aparezca entonces en sus sueños.

Arrancando las flores de su ojal, las colocó en mi mano, mientras con su brazo derecho me enlazaba el talle, apretándome contra su pecho durante unos segundos, que a mí se me parecieron una eternidad.

Su rostro se acercó al mío hasta sentir cómo su respiración jadeante bañaba toda mi boca. Nuestras piernas se tocaron en ese momento, y sentí entonces la presencia de un cuerpo duro y nervioso que se apretaba contra mis muslos.

Mi emoción era tal que apenas podía tenerme en pie; por un momento creí que iba a besarme, mientras la punta de su bigote cosquilleaba mi boca, produciéndome una deliciosa sensación. Sus ojos, al tiempo de esto, se hundían en los míos con una fascinación diabólica.

El fuego de su mirada atravesaba mi pecho, resbalando por él hacia abajo. Mi sangre estaba en plena ebullición y sentí que, a su vez, ese objeto que los italianos llaman el pajarillo y que representan provisto de un par de alas, empezaba a agitarse en la jaula donde lo mantenía yo encerrado, levantando la cabeza primero, y derramando luego algunas gotas de cremoso fluido vital.

Pero estas lágrimas, lejos de calmarme, fueron como las gotas de algún ácido cáustico, y produjeron en mí una fuerte e insoportable irritación.

Me sentía como atado a un potro del tormento; tenía la cabeza hecha un infierno, y el fuego recorriendo todo mi cuerpo.

«¿Sufre él tanto como yo?», me pregunté.

En ese momento, su brazo, separándose de mi cintura, cayó inerte a lo largo de su cuerpo.

Echó el cuerpo hacia atrás, vaciló como recorrido por una fuerte descarga eléctrica, y creí que iba a llegar a desmayarse; se enjugó a continuación el abundante sudor de la frente y exhaló un profundo suspiro.

El color se le había ido, y su cara mostraba una palidez mortal.

—¿Me cree usted loco? —Dijo.

Y sin esperar respuesta, continuó:

—¿Quién es el sano de espíritu y quién el loco en nuestro mundo? ¿Quién es el vicioso y quién el virtuoso? ¿Lo sabe usted? Yo no.

Hizo una pausa. Una pesada y larga pausa. Había entrecruzado sus dedos con los míos y caminábamos así sin decir una palabra. Mis venas palpitaban aún con violencia y mis nervios estaban tensos, con los conductos espermáticos a punto de rebosar. La erección seguía viva allí abajo. Sentía un dolor agudo alrededor de los órganos generativos, mientras un desfallecimiento general atenazaba el resto de mi cuerpo; y sin embargo, a pesar del dolor y el abatimiento que sentía, experimentaba un placer indecible al caminar así a su lado, con mis dedos enlazados con los suyos, y su cabeza reclinada en mi hombro.

—¿Cuándo sintió usted por primera vez mi mirada clavada en la suya? —Preguntó él en voz baja.

—Cuando salió usted por segunda vez.

—Así es. Nuestros ojos se encontraron y se estableció entre nosotros una corriente parecida a la de la chispa que recorre el hilo eléctrico.

—Sí, una corriente ininterrumpida.

—Jamás he conocido a un hombre cuyos sentimientos coincidan de tal modo con los míos. Dígame: ¿cree usted que una mujer podría sentir lo mismo con igual intensidad?

Yo incliné la cabeza, sin poder responder. Y él me tomó de las manos.

—Entonces, ¿seremos amigos?

—Sí —respondí yo, tímidamente.

—Sí, grandes amigos y para siempre. Como dicen algunos románticos, «amigos del alma».

—Sí.

Él me apretó de nuevo contra su pecho y murmuró a mi oído unas palabras dichas en una lengua desconocida, tan baja y musical, que parecía un canto del cielo.

—¿Sabe usted lo que esto significa?

—No.

—«Oh, amigo mío, por ti mi corazón suspira.»

Mientras lo decía, sentí un increíble placer sensual.

❀2❀

Casi no podía controlar mi excitación. Me sentía muy intranquilo y ansioso.

Al acostarse, me di cuenta de que no podría dormir si no conseguía poner calma en mis pensamientos. Pasé la noche en un estado de excitación calenturienta, agitándome sin cesar en la cama, e incapaz de conciliar el sueño; y, cuando al fin pude dormirme, me vi asaltado de sueños lascivos.

En uno de ellos aparecía Teleny, pero no como hombre, sino como mujer, como mi propia hermana. Y, sin embargo, yo no tengo hermanas. En dicho sueño, yo, al igual que Amón, el hijo de David, me hallaba enamorado de mi propia hermana, y tan vergonzoso era mi amor, que caí enfermo, reconociendo el carácter repugnante de mi pasión. Cada noche luchaba yo con todas mis fuerzas contra esta pasión, hasta que una noche, devorado por la lujuria, e incapaz de resistir ya más, penetré en su habitación.

Bajo la luz rosada del crepúsculo, la vi tendida en su lecho. Su carne fina y blanca me hizo temblar de lascivia y voluptuosidad. Hubiera querido ser una bestia de presa, para arrojarme sobre ella y devorar su carne.

Sus largos rizos dorados se esparcían por encima de la almohada. Su camisa de lino, que apenas bastaba para cubrir su desnudez, realzada el encanto de lo que dejaba ver. Los lazos que la sujetaban por los hombros estaban desatados, y mis ojos ávidos recorrían con lujuria sus rígidos pechos. Sus senos de jovencísima virgen, firmes y salientes como dos montículos, no eran más grandes que una copan de champán, y, como dice el poeta Symonds:

«Parecían dos capullos de rosa rodeados de una corona de lirios.»

Su brazo derecho servía de apoyo a su cabeza, dejando al descubierto en su arqueamiento, el oscuro hueco de la axila.

Se hallaba tendida en una postura tan excitante como la que suele exhibir Dánae [*] en los cuadros, al ser desflorada por Júpiter [*] inundado en lluvia de oro: las rodillas levantas, los muslos generosamente abiertos. Y, aunque profundamente dormida, como la leve respiración de su pecho dejaba traslucir, su carne parecía totalmente recorrida por un deseo amoroso, mientras sus labios entreabiertos parecían ofrecerse al beso.

[*] *Dánae: según la mitología griega, era hija de Acrisio, que fue el rey de Argos y de Eurídice. Unida al dios Zeus, fue la madre de Perseo.*

[*] *Júpiter: según la mitología romana, estaba considerado como el dios de todos los dioses y además, también el padre de los dioses y de los hombres.*

De puntillas, fui acercándome lentamente a ella, con precaución, y me deslicé entre sus piernas. Mi corazón latía hasta romperme el pecho, y yo ardía de pasión, contemplando aquel objeto que me enloquecía los sentidos. Según iba avanzando sobre ella, apoyado en codo y rodillas, un fuerte olor de heliotropo blanco inundó mi cerebro, hasta casi asfixiarme.

Temblando de emoción, y con los ojos abiertos de par en par, hundí mi mirada entre sus piernas. Al principio no vi más que una masa de pelos castaños, ondulados y ensortijados en pequeños rizos, que tapaban la abertura del pozo del amor. Yo levanté suavemente la camisa, aparté con cuidado el velludo mechón, y separé los dos labios, que por sí mismos se abrieron al contacto de mis dedos como para facilitar la entrada.

Yo clavé mis ojos en aquella carne amiga, en aquella carne rosada similar a la pulpa madura y azucarada de un fruto suculento; y vi entonces, anidado en medio de dos labios de color carmín, un pequeño capullo, una pequeña flor viva de carne y sangre.

Sin duda, al posar mis dedos entre los labios, lo había acariciado inconscientemente, mientras los contemplaba, y ahora se agitaba como dotado de vida, levantándose tenso hacia mí. A la vista de esto, un deseo loco me embargó de gustarlo, de acariciarlo con mi boca; e incapaz de resistir, me incliné sobre él, cubriéndolo con mi lengua, paseándola en torno suyo, hundiéndola en medio de los labios, recorriendo todos sus recovecos, penetrando en sus más íntimos repliegues, mientras ella, encantada sin duda por este juego, me ayudaba en mi labor con sus muslos, con un ardor tal que, al cabo de pocos minutos, la pequeña flor abrió sus pétalos y esparció su rocío de almíbar, que mi lengua devoró golosa.

Al tiempo que esto ocurría, no dejaba ella de suspirar y gritar, sonámbula de placer. Sobreexcitado como estaba, no le di tiempo de volver en sí, y tomando mi pene, le introduje el glande en su abertura.

La hendidura era muy estrecha, pero los labios estaban húmedos; yo empujé con todas mis fuerzas. Poco a poco fui sintiendo quebrarse el débil tejido que ponía obstáculo a mis esfuerzos. Ella me secundaba valerosamente en mi obra destructora, abriendo todo lo que podía las piernas, pegándose contra mí, esforzándose por engullir la columna entera, gritando a un tiempo de placer y de dolor.

Yo me hundí una y otra vez, pujando y ahondando cada vez más a cada nuevo embate, hasta que, habiendo superado todas las barreras, alcancé las profundidades últimas de la vagina, donde me parecía como si numerosos pequeños labios se dedicaran a cosquillear y succionar la punta de mi verga.

¡Placer celeste! ¡Divino éxtasis! Me sentía flotando entre el cielo y la tierra mientras rugía y aullaba de salvaje placer.

Al oír un ruido en la habitación, empecé a retirar lentamente mi miembro el orificio estrecho donde se hallaba encajado. Una luz más brillante que la de la víspera se encendió de repente, y una mano me tocó la espalda, al tiempo que pronunciaba mi nombre.

Imagine usted mi vergüenza y mi confusión. Mi profundo horror y angustia. Era la voz de mi madre, ¡y yo me hallaba sobre mi hermana!

—Camille —me dijo—, ¿qué te pasa? ¿Estás enfermo...?

En este preciso instante me desperté, lleno de consternación y temblando de miedo, preguntándome dónde estaba y si en realidad había desflorado a mi hermana.

Y ciertamente parecía que sí. Las últimas gotas de fluido corrían aún por mi pene. Y al pie de mi cama se hallaba mi madre, en carne y hueso. ¡No estaba, pues, soñando!

¿Pero dónde estaba mi hermana...? Bueno... ¡Mi hermana o la muchacha de la que había gozado...! Y esa verga alzada que yo había tenido en mi mano, ¿era la mía o la de Teleny?

No; yo estaba solo en mi cama. ¿Qué quería, pues, mi madre? ¿Y cómo se encontraba en mi habitación aquel horrible faldero que, sentado sobre el respaldo de un sillón, me miraba fijamente?

Finalmente, pude recobrar el sentido. Y vi entonces que el caniche no era otra cosa que mi camisa, que antes de acostarme había arrojado sobre una silla.

Como se dio cuenta de que ya estaba totalmente despierto, mi madre me explicó que, oyéndome gemir y gritar, había venido a ver si me encontraba enfermo. Intentando que no se diese cuenta de la vergüenza que sentía, yo me apresuré a asegurarle que me encontraba perfectamente, y que simplemente había sido víctima de una pesadilla. Ella posó su fresca mano sobre mi frente calenturienta. Y el contacto de esta mano suave refrescó mi cerebro, disminuyendo mi fiebre.

Cuando estuve más calmado, me hizo beber un vaso de agua azucarada, rociada de esencia de azahar, y volví a dormirme, despertándome de tanto en tanto, para encontrar siempre ante mí la figura el pianista.

Al día siguiente, su nombre resonaba aún en mi oídos, sin que mis pensamientos dejaran de volar a él, ni mis labios de pronunciar su nombre. Lo veía con los ojos del alma, de pie en el proscenio, saludando al público y lanzando sobre mí sus miradas de fuego.

Me quedé durante unos momentos aún arrebujado en la cama, contemplando con tranquilidad aquella visión vaporosa e, intentando reconstruir sus rasgos, que se confundían en mi recuerdo con los de algunas de las estatuas de Antínoo. Al analizar mis impresiones, tenía conciencia de una sensación nueva, de un vago malestar entrelazado de inquietud. Sentía dentro de mí un cierto vacío, sin poder comprender si dicho vacío se hallaba alojado en mi corazón o en mi cabeza. No había perdido a nadie, pero sin embargo, me sentía solo, abandonado. ¿Qué digo...? Me sentía despojado. Intenté explicarme a mí mismo mi estado lastimero, y todo lo que pude descubrir es que tales sensaciones se asemejaban a las de las personas que añoran su país, o desean violentamente volver a ver a la madre lejana, con la diferencia de que el exiliado sabe lo que le falta, y yo difícilmente hubiera podido definirlo; era algo indeterminado.

La imagen de Teleny seguía persiguiéndome, y el nombre de René invadía sin cesar mis labios. Lo repetía docenas de veces. ¡Qué nombre tan dulce! Al simple sonar de estas dos sílabas, mi corazón latía fuertemente y mi sangre empezaba a hervir, a fluir con viveza. Me levanté sin ninguna prisa. Me vestí con cierto descuido. Eché una mirada al espejo, y en vez de verme a mí mismo, vi a Teleny; y detrás de mí, nuestras sombras aparecían unidas, tal como yo las había visto la noche anterior sobre la acera.

De manera brusca, volví a la realidad. La sirvienta estaba llamando a la puerta. Me miré en el espejo y me vi casi repugnante. Por vez primera en mi vida deseaba tener un hermoso rostro, o mejor, un rostro fascinantemente bello.

La sirvienta me informó que mi madre me esperaba en el comedor, y que la había enviado a informarse si aún me hallaba indispuesto. El nombre de mi madre volvió a traerme a la memoria el sueño y, por primera vez, sentí ganas de no verla.

No entendí el motivo de este deseo, porque me llevaba bien con ella, y aunque hubiese cometido como cualquier ser humano, alguna falta, he de reconocer que nadie me quería tanto como ella. Y, además, contestando algunos comentarios sobre su ligereza, sobre su amor al placer, tendría que decir, que en lo que a mi me atañe, nunca me descuidó ni un solo instante. Si su vida no estaba conforme con lo que suelen llamar los «principios morales», o, por decirlo mejor, la hipocresía cristiana, la culpa era de mi padre, y no de ella, como quizás le explicaré en algún otro momento.

En el momento en que entré en el comedor, mi madre, asustada por la alteración que mis rasgos revelaban, me preguntó si tenía algún dolor.

—Tengo un poco de fiebre —respondí—. Tal vez la música de ayer me puso demasiado nervioso.

Nuestra conversación comenzó a girar entonces sobre el concierto y aunque estaba ansioso por preguntar a mi madre acerca de Teleny, no pude atreverme a pronunciar el nombre que bailaba en mis labios, poniendo buen cuidado en que no se me escapara.

Fue mi madre quien empezó a hablar de él, alabando primeramente su arte, y luego su belleza.

—¿Es que le encuentras hermoso? —Le pregunté yo bruscamente.

Ella bastante asombrada, contestó:

—Claro. Por supuesto. ¿Es que hay alguien que opine lo contrario? Todas la mujeres lo consideran un verdadero Adonis [*], pero vosotros los hombre opináis tan distinto de nosotras en la apreciación sobre vuestro mismo sexo, que la mayoría de las veces encontráis simples a los que nosotras más admiramos. En cualquier caso, lo que no cabe duda es que triunfará como artista, pues todas las damas acaban enamorándose de él.

[*] *Adonis: en la mitología griega fue considerado como el dios de la belleza y el deseo y de él se enamoraron Afrodita, diosa del amor y Perséfone, diosa de los infiernos.*

Al escuchar estas últimas palabras, intenté mantener la calma, pero, a pesar de mis esfuerzos, me fue difícil no hacer una extraña mueca con mi cara.

Mi madre, al observar mi fruncimiento de cara, añadió, sonriendo:

—¡Camille...! Estas resultando ser tan vanidoso como algunas damas que no pueden soportar que se ensalce a otra mujer en su presencia, pensando que se les está robando algo que consideran propio.

Bastante humillado con su apreciación, le respondí en tono bastante molesto:

—¡Qué cosas dices...! Si eso es lo que quieren, todas la mujeres son muy libres de enamorarse de él. Además, tú sabes muy bien que jamás me he enorgullecido de mi hermosa cara, como tampoco me he vanagloriado jamás de mis conquistas.

—Es cierto. Pero con la actitud de hoy me ha parecido que no quieres que algo que tú no deseas, tampoco debe de ser para nadie. ¿Qué puede importarte a ti que las mujeres se enamoren o no de él, sobre todo si eso le puede ayudar en su carrera?

—No me gusta tu insinuación. ¿Es que no puede un artista alcanzar el éxito por sus méritos solamente?

—A veces sí, pero son más bien pocas, y sólo gracias a una tenacidad y una constancia casi sobrehumana, de la que generalmente carecen todos los artistas. En cuanto a Teleny...

Mi madre no llegó a concluir la frase, pero la expresión de su rostro y sobre todo su sonrisa de incredulidad revelaron claramente sus pensamientos.

—No me gusta lo que insinúas. ¿Es que tú crees realmente que ese joven es un ser lo suficientemente degradado como para dejarse mantener por las mujeres...? Como si fuese un simple...

—Es que mantener no es la palabra exacta, o al menos yo no lo explicaría de esa manera. Es muy fácil dejarse ayudar por otros medios que no sean el dinero; en todo caso, sus ingresos aparentes, serían los del piano.

—Como lo son las tablas para la mayor parte de las bailarinas de ballet. ¡Reconozco que no me gustaría nada ser artista!

—Hay que reconocer, que casi todos los artistas que han triunfado deben su éxito a una amante, o a una esposa. Puedes leer el libro titulado Bel Ami [*] y verás cuántos de entre los que han triunfado, incluidos los más célebres, deben su enaltecimiento...

[*] *Bel Ami por Guy de Maupassant: el protagonista de la novela es un ser ambicioso y sin ningún escrúpulo, con la única idea de triunfar.*

—¿A una mujer?

—Sí. Exactamente. Ahí está la vieja expresión que siempre funciona: «Busca la mujer».

—¡En ese caso el mundo es repugnante!

—Es cierto, pero como tenemos que seguir viviendo en él, es preciso inclinarse hacia algo, sacar de él el mejor provecho, y no tomarse las cosas de manera trágica como tú te las tomas.

—Sea lo que sea, hay que reconocer que tiene mucho talento. Teleny toca bien. Jamás he escuchado a nadie tocar como él lo hizo ayer.

—Sí; estoy de acuerdo en que realizó una ejecución

verdaderamente brillante, por no decir excepcional; pero también hay que admitir que tú no te encontrabas del todo bien, y supongo que por esta razón, la música te produjo un estado de ansiedad y nerviosismo.

—¡Oh...! No te entiendo. ¿Piensas quizás, que un espíritu maligno me poseía y que un hábil ejecutante como aquel de quien hablamos era el único que podía calmarme los nervios?

Mi madre sonrió.

—En algún momento de nuestra vida, todos nos parecemos a Saúl [*]; quiero decir que a todos nos acosa por igual el Espíritu Maligno.

[*] *Según el Antiguo Testamento, Dios se apartó de Saúl por haberle desobedecido, y le envió el espíritu de Satanás ó Espíritu Maligno.*

Su frente, al decir esto, se ensombreció; calló por un instante; y amargos recuerdos debieron llenar de pronto su memoria, porque añadió:

—Reconozco que Saúl es merecedor de llanto.

Yo no le respondí. Me preguntaba de qué modo había ganado David la voluntad de Saúl. ¿Era tal vez a causa de sus cabellos rojos, de su noble porte y de su hermosa cara? Tal vez por esto mismo, tan pronto Jonatán lo vio, «el alma de Jonatán se fundió con la de David, y Jonatán lo amó como a su propia alma». ¿Acaso el alma de Teleny se había fundido con la mía? ¿Debía yo amarlo y después odiarlo, como había hecho Saúl? Me despreciaba a mí mismo y a mi locura, y sentía crecer en mí la antipatía contra aquel músico que me había hechizado. Por encima de todo aborrecía yo a las mujeres, verdadera maldición del mundo.

Mi madre me arrancó de mis negros pensamientos cuando me dijo:

—Deberías descansar. No debes ir hoy a tu despacho, si no te sientes bien.

Sin duda sabe usted que mi padre me había dejado en herencia un negocio muy productivo, con un excelente director de toda la confianza que, durante años, fue el alma de la casa. Tenía yo entones veintidós años y todo mi trabajo en el negocio consistía en cobrar casi la totalidad de los beneficios. Sin embargo, debo decir que nunca fui perezoso, sino que, por el contrario, era muy cumplidor con el trabajo que tenía que hacer, cosa que seguramente mucha gente no se lo imaginaba por los años que tenía.

Por este motivo, fui al despacho como de costumbre, pero me fue imposible dedicar mi atención a ocupación alguna.

La imagen de Teleny se mezclaba con cada una de las cosas que intentaba hacer, confundiéndolo todo. Las palabras de mi madre retumbaban sin cesar en mi memoria: «Todas las mujeres estaban enamoradas de él, y su amor le era totalmente necesario». Intentaba borrarlo de mi pensamiento. «Querer es poder», me decía, «así que lograré borrar de mí esta maldita y embrutecedora obsesión».

Pero cuanto más intentaba olvidarme de él, más volvía su imagen a mi pensamiento. ¿No se ha sentido usted a veces obsesionado por algunos fragmentos de una canción que no consigue recordar entera? Le acompañan a uno a todos los sitios. Parece que uno ya lo ha olvidado pero resurgen de repente, llenando por completo la cabeza. Resulta imposible desembarazarse de ellos. Le impiden a uno dormir, y cuando se consigue al fin conciliar el sueño, las notas resuenan de nuevo en su interior; al despertarse de nuevo, las notas son el primer sonido que lo acompaña. Así me ocurría a mí con Teleny; su figura me perseguía; su voz dulce y baja me repetía constantemente en aquella lengua desconocida: «¡Oh, amigo mío! ¡Mi corazón esta suspirando por ti!».

Su imagen no se apartaba de mis ojos, y podía sentir aún el dulce contacto de su mano sobre la mía, el aliento perfumado de sus labios. Y, en mi impaciente deseo insatisfecho, yo extendía el brazo para abrazarlo, para apretarlo contra mi pecho; la alucinación se hacía tan real que llegaba a sentir su cuerpo contra el mío.

En esos momentos, una fuerte erección tensaba todos mis nervios, pero reconozco que ese sufrimiento, al mismo tiempo me ofrecía un placer muy dulce.

—Siento interrumpirle pero me muero de curiosidad. ¿Se había enamorado usted en alguna ocasión antes de conocer a Teleny?

—Jamás.

—Sí que es extraño.

—¿Extraño? ¿Por qué?

—¡Porque ya tiene veintidós años...!

—Precisamente en eso puede ver usted que me hallaba destinado a amar a los hombres y no a las mujeres, y sin darme cuenta, había estado luchando hasta entonces contra las inclinaciones de mi naturaleza. Es verdad, que en diversas ocasiones, creía que me había enamorado, pero sólo cuando conocí a Teleny comprendí lo que era el verdadero amor. Como todos los jóvenes de mi edad y posición, pensando que estaba obligado a mantener una amante, elegí a una, y después hice todo lo posible por convencerla de que estaba enamorado de ella. Por casualidad encontré una muchacha de rostro agradable y ojos con una mirada limpia y alegre. Era una modista de París que estaba empleada en un almacén de Bond Street. En cuanto la vi, decidí que para mí, ella debería ser mi Dulcinea [*]. Para lograrlo, me puse a seguirla cada vez que la veía. Solía pensar en ella, cuando no tenía otra cosa que hacer.

[*] *Dulcinea: es la joven de quien esta enamorado Don Quijote de la Mancha, pero era una ficción. No existía tal persona.*

—¿Y cómo terminó la aventura?

—De la manera más ridícula. Fue, creo, uno o dos años antes de abandonar el colegio, durante las vacaciones de verano; por primera vez hacía un viaje solo, para ir a encontrarme con mi madre en Eastbourne.

Tímido como soy, me sentía nervioso ante la idea de tener que introducirme entre la muchedumbre, abrirme paso a codazos hasta conseguir mi billete, y cuidarme de no tomar un tren equivocado.

Pero por una increíble y feliz casualidad vine a encontrarme sentado justo enfrente de la jovencita de quien me creía enamorado, quien, en compañía de su madre, se dirigía al mismo lugar que yo. Animado por tan inesperada suerte, me atreví a dirigirle unas palabras en su lengua materna.

Desgraciadamente, sin darme cuenta, me había introducido en un compartimento reservado «sólo para damas», donde se encontraba ya sentado el más perfecto ejemplo de solterona inglesa que pudiese haber. Iba vestida con un impermeable. Es fácil encontrarse con personajes de este tipo en el Continente, y un poco también por todas partes, salvo, tal vez, en Inglaterra; esto me ha hecho siempre pensar que Inglaterra las fabrica especialmente para la exportación. Bueno, y siguiendo mi relato, en cuanto yo estuve sentado, en un tono muy desagradable y con un horrible francés, me llamó la atención, diciendo:

—Señor, este compartimento está reservado solamente para las damas.

—Damas, solamente! —Repetí bastante avergonzado, mirando en torno mío.

Mis vecinas empezaron a reír.

Momentos después, la madre de la joven, dijo:

—La señora, con razón, dice que este compartimiento está reservado sólo para damas , y naturalmente, todas las que lo ocupamos suponemos que ningún joven caballero vendrá por aquí pensando en fumar.

—¡Oh! Si es por eso, dejaré de fumar.

Pero la solterona, totalmente enojada, protestó:

—¡No, no...! ¡O usted se marcha de aquí, o yo, empezaré a gritar!

Y sacando la cabeza por la puerta del compartimiento, se puso a gritar, esta vez en buen inglés:

—Revisor, por favor, haga salir a este joven.

El revisor acudió rápidamente, y no solamente me ordenó salir, sino que, de muy malas maneras, me arrojó fuera como si yo hubiese sido otro Coronel Baker, que al igual que él, había intentado violar a una señorita estando solos en un compartimento.

Me trasladé, pues, al compartimiento vecino, pero me sentía tan avergonzado, tan mortificado, que mi vientre, que siempre ha sido muy sensible, se sintió de pronto trastornando. Tan pronto el tren se puso en marcha me sentí presa primero de un malestar general, y luego de un dolor agudo, pronto transformado en una necesidad tan apremiante, que yo no me atrevía a hacer un solo movimiento por temor a las consecuencias.

En la primera parada de algunos minutos me precipité fuera del vagón, pero no encontré empleado alguno que pudiera indicarme un lugar donde liberar mi carga. Empezaba a preguntarme qué hacer cuando el tren empezó a ponerse en marcha.

El único ocupante de mi compartimiento era un anciano que, tras haberme dicho que me pusiera cómodo, se durmió y empezó a roncar de una manera bastante molesta. Me encontraba, pues, como si estuviera solo.

Enseguida empecé a fabricar planes para descargar mis intestinos, que estaban en plena revolución, y el único de todos ellos que parecía factible no podía ser puesto en práctica, porque mi adorada, que estaba en el compartimiento contiguo, no dejaba de sacar la nariz por la ventanilla, e imagínese qué cuadro si en lugar de ver aparecer por la ventana de mi compartimiento mi cara, hubiera visto mi trasero al pleno. Como única solución a mi urgente problema, me dispuse a utilizar mi sombrero, cuando el tren se detuvo de nuevo. Había seis minutos de parada. Ahora o nunca, me dije y salté al andén.

Se trataba de una estación en pleno campo, una estación de cruce, y todo el mundo bajó a tierra.

El revisor gritaba: «Viajeros para Eastbourne, hagan el favor de subir al tren».

—¿Dónde está los servicios? —Le pregunté.

Él quiso empujarme de nuevo al tren, pero me escapé y le pregunté a otro.

—Por allí —me dijo, mostrándome el retrete—; pero dese usted prisa.

Me puse a correr y me precipité en el interior de la letrina sin mirar en dónde entraba y empujando violentamente la puerta.

Oí primero un gruñido de gran satisfacción y alivio, seguido de un ruido de salpicadura y caída de agua, luego un grito, ¡y vi a mi solterona sentada en la taza!

Salí precipitadamente de allí, y en la parte de atrás, vacié mis intestinos.

Instantes después, pitó la locomotora. A continuación sonó la campana, y el jefe de la estación tocó su trompetilla. El tren echó a andar.

Yo eché a correr, sin temor a las consecuencias, sujetándome el pantalón desabrochado, y perseguido por las imprecaciones de la desagradable solterona, como si fuese un pez desgraciado que huyera de los picotazos de una vieja gallina.

Todos los viajeros, asomados a las portezuelas, se reían de mis adversidades.

Algunos días después, volví a encontrar a la muchacha acompañada de su madre. Tan pronto me divisó, sus ojos risueños adoptaron una expresión burlona. No me atrevía a mirarla, y menos a seguirla.

Había en la pensión donde yo me alojaba con mis padres otros jóvenes, con los que ella pronto estableció relaciones, pues resultaba amable y simpática a todo el mundo. Yo, en cambio, me mantenía apartado, seguro de que mis desgracias no sólo eran conocidas de todos, sino que eran incluso objeto de conversación.

Un día por la tarde, y mientras me hallaba sentado en el amplio jardín trasero de la pensión, escondido tras unos macizos de flores, recordando mis desventuras, vi de pronto a Rita —su nombre era Margarita —paseando con otras muchachas por la alameda vecina.

Poco después, se fue alejando de sus amigas, y se detuvo con la espalda vuelta. Luego, empezó a subirse las faldas, mostrando una hermosa pierna, enfundada en una media de seda negra. El cordón que le sujetaba las medias al corsé se había desatado y ella intentaba colocarlo de nuevo, creyéndose sin testigos.

Con sólo estirarme un poco, hubiera podido clavar mi mirada entre sus piernas y ver todo lo que la hendidura de sus bragas dejaba entrever, pero no llegó a ocurrírseme. La verdad es que Rita no me atraía más que cualquier otra mujer. Lo único que quería era encontrar una ocasión para encontrarme a solas con ella, y saludarla sin que las demás muchachas se rieran de mí. Salí pues de mi escondite, y avancé tranquilamente por la alameda.

Al torcer la esquina, una visión inesperada me saltó a los ojos. El objeto de mi admiración sentimental se encontraba agachada sobre la arenilla de la alameda, con las piernas abiertas y las faldas cuidadosamente recogidas. Pude divisar un trozo de carne rosada y un torrente de líquido amarillo que corría sobre la arena, dejando un rastro de espuma, al tiempo que, para saludar mi presencia, de las partes traseras atronaba un sonoro cañonazo, igualmente despedido por la bella.

—¡Divino encuentro! ¿Y qué hizo usted, entonces?

—¿Ignora usted que, como dice el Libro de Oraciones de los Anglicanos, «siempre hacemos lo que no debiéramos hacer, y dejamos de hacer lo que debiéramos»? Pues bien, en lugar de esfumarme, escondiéndome detrás de un seto, para ver sin ser visto el lugar de donde el arroyo fluía, yo permanecí estúpidamente paralizado, mudo y sin saber que hacer. Sólo cuando ella levantó los ojos pude recobrar mi uso de palabra.

—¡Oh, perdón, señorita! No sabía que estuviese usted ahí... Es decir, que...

Ella, levantándose más roja que un tomate, empezó a expresar palabras que yo nunca hubiese supuesto que era capaz de decir aquella dulce joven:

—Tonto, imbécil, estúpido, bestia, animal...

Fue a darme la espalda ella, y toparse de frente con la solterona inglesa, que justamente en aquel momento aparecía por el otro extremo de la alameda, y que la saludó con un «¡oh...!» Muy prolongado, y sonoro como una nota de trompeta.

Y de esta manera terminó el único amor que jamás haya experimentado por una mujer.

Durante mucho tiempo estuve reprochándome a mí mismo, no haber sido capaz de entablar una relación con aquella joven.

Mi oyente, estaba entusiasmado con mi historia.

Después de unos minutos de completo silencio, lo interrumpió diciendo en tono seguro:

—Ahora ya me doy cuenta de que antes de Teleny no encontró a nadie para dedicarle su amor.

—Jamás, y es porque, durante algún tiempo, no logré darme cuenta de lo que en realidad sentía. No obstante lo cual, al reflexionar sobre ello, pude darme cuenta de que bastante tiempo antes había sentido el aguijón del amor, pero como era siempre con personas de mi mismo sexo, ignoraba que aquello pudiera llamarse amor.

—¿Se trataba de jóvenes de su misma edad?

—No; no siempre eran hombres hechos y maduros, vigorosos especímenes humanos.

Desde mi infancia venía yo experimentando una fuerte atracción por los machos del tipo luchador, de enormes miembros, músculos muy abultados y sólidos muslos. Sí; me gustaban los representantes de la fuerza bruta y ruda. Mi primer acicate me lo produjo un joven corpulento y vigoroso. Era un carnicero que cortejaba a nuestra criada, una hermosa muchacha, según creo recordar. Era un mancebo atlético, de vigorosos brazos, y que a mí me parecía que era capaz de tumbar a un buey de un puñetazo.

A menudo me quedaba mirándolo sin que se diera cuenta, observando la expresión de su rostro, mientras manoseaba a la joven sirvienta, sintiendo casi el mismo placer que él experimentaba.

¡Cómo me hubiera gustado que me hablara, en vez de tontear con mi estúpida criada! Yo me sentía celoso de ella, a pesar de quererla mucho. A veces, el atleta me sentaba en sus rodillas y me acariciaba, pero no muy a menudo. Un día, sin embargo, se hallaba muy excitado, tras haber intentado besarla en vano, y cogiéndome, apretó furiosamente sus labios contra los míos, como devorado por la sed.

Aunque era muy pequeño, creo recordar que el acto me produjo una erección, porque todavía me acuerdo de la agitación que me embargó. Aún hoy, recuerdo el placer que sentía, frotándome como un gato contra sus piernas, cobijándome entre sus muslos, acariciándolo, manoseándolo, sin que él ¡ay...!, me lo impidiera.

Mi mayor placer estaba en ver a los hombres bañándose. Me costaba trabajo no acercarme a ellos; me hubiera gustado acariciarlos y besarlos por todos lados. El día que pude ver a uno de ellos desnudo, la impresión fue superior a mí.

Los penes me producían el mismo efecto, me imagino, que producen a las mujeres temperamentales; la boca se me humedecía, sobre todo si se trataba de un pene de grandes dimensiones, rojo, y con el glande descubierto y carnoso.

Sin embargo, jamás llegué a darme cuenta de mi inclinación por los hombres, y por supuesto, menos aún por las mujeres. Lo que sentía era como la convulsión cerebral que brilla en los ojos de quienes padecen un acceso de locura, era un placer bestial, un deseo furioso e incontenible. El amor, en cambio, para mí era como un tranquilo coqueteo de salón, algo completamente dulce y tierno, totalmente distinto de aquella pasión llena de rabia que me abrasaba.

—Por lo que veo, jamás ha poseído usted a una mujer.

—¡Oh, sí! Varias veces; por casualidad, más que por verdadera elección. Con todo, para la edad que tengo, debo decir que comencé la vida un poco tarde. Mi madre, a pesar de estar considerada como una mujer ligera y entregada al placer, se preocupó más de mi educación de lo que suelen hacerlo esas mujeres llamadas serias, «perfectas», pero que en realidad son demasiado prácticas y frías. Tenía conmigo un gran tacto y mucha experiencia. Jamás he estado en un internado, porque ella sabía bien que los internados son la llave de todos los vicios. ¿Qué pensionista, muchacho o muchacha, no se ha iniciado en el conocimiento de los placeres carnales mediante el tribadismo [*], el onanismo [*] o la sodomía [*]?

[*] *Tribadismo: estimulación sexual mediante el frote de zonas erógenas y sin penetración.*

[*] *Onanismo: interrupción del acto sexual antes de que se produzca la eyaculación.*

[*] *Sodomía: El sexo anal.*

Mi madre, por otro lado, temía que yo hubiera heredado la naturaleza sensual y lujuriosa de mi padre, y en consecuencia, hizo todo lo posible por alejar de mí las tentaciones demasiado precoces, y de hecho consiguió preservarme del mal.

A los quince o dieciséis años, era pues yo más inocente que la mayor parte de mis compañeros de colegio, pero escondía mi profunda ignorancia adoptando aires de libertino y entendido en temas amatorio.

Cada vez que ellos se ponían a hablar de mujeres, y sucedía todos los días, yo sonreía con aire entendido, lo que pronto los hizo decir lo de «no te fíes del agua que parece que duerme».

—¿Y de verdad estaba usted en total ignorancia?

—Todo lo que sabía es que había algo que tenía que ver con «meterla y sacarla», y ahora le voy a explicar como me enteré de ello.

Ya tenía yo quince años, y me hallaba paseando por un extenso pastizal que estaba paralelo al camino que lleva a nuestra casa. Caminaba sin hacer ruido sobre el césped suave como un tapiz de terciopelo, cuando oí un ruido de voces por el lado de un gallinero que ya no se usaba y que estaba en las cercanías. Me acerqué con mucho sigilo, presté oídos, y escuché la voz de una muchachita que decía:

—Métela y sácala; métela otra vez, y sácala de nuevo, y así muchas veces seguidas.

—Pero yo no puedo meterla ahí —respondía otra voz.

—¡Claro que puedes...! Mira, voy a abrir la raja con mis dedos. Empuja ahora. ¡Vamos...! ¡Métela...! Métela más, más, más... ¡Métela todo lo que puedas...!

—Sí... Pero quita los dedos.

—Ahora... ¡Métela bien!

—¿Pero, por qué quieres que te la meta dentro?

—Voy a decírtelo. Mi hermana tiene un soldado que es amigo suyo, y lo hacen todos los días cuando se quedan solos. ¿No has visto tú a los gallos saltar sobre las gallinas y picotearlas? Pues es esto lo que hacen; mi hermana y el soldado se besan, se besan, y se besan, y por eso, tardan más tiempo en hacerlo.

—¿Y el soldado la meta y la saca?

—Pues claro. Sólo que cuando van a llegar al final, mi hermana le dice siempre que tenga cuidado de no terminar dentro, para no hacerle un niño. Así que, si quieres ser mi amigo, como tantas veces me lo pides, métemela dentro con los dedos, si no puedes hacerlo de otra manera, pero ten cuidado de no terminar dentro, porque podrías hacerme un hijo.

Acerqué el ojo a un ranura de la pared y pude ver a la hija más pequeña de nuestro jardinero, una muchachita de diez a doce años, tumbada en el suelo de espaldas, y con un mozo de unos nueve años acostado sobre ella, haciéndolo lo mejor que podía para seguir sus instrucciones.

Fue la primera vez que llegué a contemplar lo que hacen los hombres y las mujeres, cuando se dedican a hacer el amor.

—¿Y no sintió curiosidad por saber más?

—¡Oh, sí! Habría cedido a menudo a la tentación y acompañado a mis compañeros en sus visitas a mujeres de cuyos encantos luego se vanagloriaban en voz baja, con un acento nasal y lascivo, y ante aquellas mismas mujeres, pues sabía tan poco de lo que podía hacerse con una mujer como Dafnis antes de que Licenio se deslizara bajo él para iniciarlo en los misterios del amor. Y, sin embargo, la cosa no exige más iniciación que la que el recién nacido requiere para acercarse al pecho de su madre.

—¿De cuándo data su primera visita a un burdel?

—De la época en que terminé la universidad, con los laureles académicos coronando nuestras frentes. Según la tradición, los componentes de la promoción solían celebrar una cena de despedida, antes de emprender cada uno su camino en la vida.

—Sí. Yo también recuerdo con nostalgia aquellas cenas tan alegres de estudiantes.

—Cuando la nuestra dio fin...

—Y supongo, que todo el mundo estaba totalmente empapado de vino.

—Así es. Y, para terminar, pensamos terminar la noche visitando algunas casas de prostitución.

Aunque yo me encontraba de muy buen humor y perfectamente dispuesto a divertirme, debo confesar que me sentía un poco intimidado, y de buena gana hubiera abandonado a mis compañeros de promoción, antes de exponerme al ridículo y a los peligros de la sífilis. Tengo que aclarar que lo intenté, pero me fue completamente imposible escapar.

Me dijeron que era un cobarde. Algunos pensaron que quería marcharme para pasar la noche con una querida, una hermosa dependienta o quizás iba al encuentro de una elegante dama algo madura y conocida en la sociedad. Otro sugirió que tal vez tenía ganas de volver a las faldas de mi mamá, y que mi papá no me dejaba salir de noche.

Viéndome en la imposibilidad de escapar, acepté de buena gana acompañarlos.

Un cierto Walter, joven en años, pero viejo en el vicio,

y que, como un viejo marinero, había perdido ya un ojo a los dieciséis años, como consecuencia de una infección venérea, propuso mostrarnos la vida de los rincones más desconocidos del viejo Londres.

—En primer lugar, dijo, os llevaré a un lugar donde, por poco dinero, haremos una buena fiesta; eso servirá para animarnos. Luego iremos a otra casa a descargar las pistolas, o mejor, los revólveres, porque el mío tiene siete cargas.

Su ojo único brillaba de obscenidad y su pene ya se estaba agitando de antemano en su pantalón. Aceptamos todos la propuesta, y yo el primero, contento de no figurar en principio sino como espectador, y preguntándome de qué escena iba a ser testigo. Nuestros coches nos llevaron al último extremo de Tottenham Court Road, por medio de sus calles estrechas, sus callejuelas sombrías y sus pasajes malolientes, llenos de mujeres embadurnadas de afeites, atrevidas e insolentes, que aparecían chillando por las ventanas de sus casas grasientas.

Era ya tarde. Las tiendas empezaban a cerrar, excepto aquellas dedicadas a la venta de pescado, mejillones y patatas fritas. Un insoportable y fuerte olor de aceite barato, mezclado con el olor infecto de los mil desagües y las alcantarillas, impregnaba el ambiente, impidiendo casi respirar.

En medio de la oscuridad de aquellas calles mal iluminadas, los bares arrojaban sobre el pavimento, de tanto en tanto, brillantes haces de luz, acompañados de un hedor de mezcla de tabaco, alcohol y cerveza, y bocanadas de aire caliente.

Una muchedumbre heterogénea llenaba las calles. Había borrachos de rostro bestial, arpías miserables, niños harapientos de pálida cara, viciosos y llenos de mugre, que aullaban obscenas canciones.

Desembocamos, por fin, ante una especie de tugurio escondido. Los coches se detuvieron a la puerta de una casa de poca altura y siniestro aspecto, cuyas fisuras y humedades, eran fácilmente visibles bajo una capa de pintura de color rojo amarillento, con la cual parecía que estaba afectada por algún tipo de desagradable enfermedad ulcerosa. El aspecto de este lugar infame, hacía poner inmediatamente en guardia al visitante contra la infección que cobijaban sus muros.

Penetramos en el lugar a través de una estrecha entrada, hasta llegar a una escalera de caracol, grasienta y llena de porquería, débilmente iluminada por el parpadeo de un mechero de gas asmático. Sin el pasamanos, hubiera sido imposible ascender por aquellos escalones totalmente embarrados.

Al llegar al primer piso, una vieja bruja de cabello gris, y rostro hinchado y descolorido, vino a recibirnos. Tal vez fueran sus ojos llenos de legañas y sin pestañas, o su expresión obscena, o tal vez el oficio que ejercía, lo que me horrorizó; el hecho es que sentí asco ante ella. Jamás en mi vida había contemplado un rostro tan repugnante. Su boca babosa, sus encías que no tenían dientes, y sus labios fláccidos asqueaban a primera vista. Después de grandes zalamerías y de llenarnos de obsequiosas palabras, nos introdujo en una habitación de techo bajo, crudamente alumbrada por lámparas de petróleo.

Espesos y sucios cortinas en las ventanas, algunos viejos sillones y un largo diván completamente sucio y estropeado, completaban el mobiliario de esta habitación, que apestaba a la vez a moho y a cebollas.

Dotado como entonces estaba yo de una imaginación muy viva, percibí inmediatamente por debajo el repelente y dominante olor de moho, el del ácido carbónico y el yodo. En este antro se encontraban, repartidas por los sillones, y de pie en las esquinas, varias mujeres. Como no quiero ofenderlas, ¿cómo podría yo llamarlas? Quizás, ¿sirenas...? No, la verdad es que parecían unas brujas.

Aunque intentaba adoptar una actitud indiferente, estoy seguro, que mi cara, expresaba todo el horror de la situación. Y pensé: «¿es ésta, una de esas deliciosas casas de placer, de las que tantas sugerentes e increíbles historias he oído contar?»

Todas aquellas mujeres, horriblemente pintadas, con caras inexpresivas o hinchadas, debían, ser las hijas de Pafos [*], las seductoras sacerdotisas de Venus [*], cuyos encantos mágicos sobreexcitaban todos los sentidos, las huríes [*] sobre cuyos senos los hombres se sentían desfallecer y transportar al séptimo cielo.

[*] *Pafos: en la mitología griega, fue la hija de Pigmalión, rey de Chipre y también escultor.*

[*] *Venus: en la mitología romana era una importante diosa relacionada con el amor, la belleza y la fertilidad.*

[*] *Huríes: mujeres de gran belleza que están acompañando a los creyentes en el paraíso musulmán.*

Mis camaradas, dándose cuenta de mi estupefacción, empezaban a burlarse. Yo tomé asiento e intenté sonreír estúpidamente.

Tres de aquellas criaturas vinieron pronto a sentarse a mi lado, y una de ellas, rodeando con su brazo mi cuello, quiso, después de haberme besado, traspasar con su lengua mi boca, mientras las otras me manoseaban de la manera más indecente. Cuanto más yo me resistía, más se me enlazaban ellas, formando todos juntos una especie de nuevo Laoconte [*].

[*] *Laoconte: en la mitología griega era el sacerdote de Apolo.*

—No lo entiendo. ¿Por qué diablos le habían elegido a usted como víctima?

—Yo no lo sé. Tal vez a causa de mi expresión inocente, o bien porque veían a los otros burlarse de mi aire aterrorizado.

Una de las criaturas, una muchacha alta y morena, seguramente italiana, se encontraba claramente en el último grado de cansancio y extrema delgadez. Era un verdadero esqueleto viviente; y, sin embargo, por debajo de su máscara blanca y roja, guardaba aún restos de su antigua belleza.

Al verla, una persona que no estuviese acostumbrada a semejante espectáculo, hubiera experimentado una profunda piedad.

La segunda, era una pelirroja que tampoco tenía más que la piel y los huesos. Además, tenía señales dejadas por el sarampión, y era bizca. Era realmente repulsiva.

En cuanto a la tercera, baja, y vieja, era demasiado obesa, con un estomago muy abultado. Era un verdadero saco de grasa, y respondía al nombre de la Cantinera.

La primera de las tres iba vestida de verde, la pelirroja llevaba un vestido que había sido azul en otro tiempo, y la vieja gorda vestía de amarillo.

Estos vestidos, por otro lado, cubiertos de manchas y gastados hasta enseñar toda la trama de hilos, estaban además llenos de regueros y salpicaduras, como si todos los caracoles de la Borgoña se hubieran concentrado en ellos para un competición.

Conseguí desembarazarme de las dos más jóvenes, pero no así de la Cantinera, quien viendo que ni sus manoseos ni sus encantos producían en mí el más a mínimo efecto, empezó a usar, para excitar mis rebeldes sentidos, medios desesperados.

Me hallaba, creo haberlo dicho ya, sentado en un diván bajo; poniéndose de pie delante de mí, se levantó las faldas hasta la cintura, mostrándome sus encantos hasta entonces ocultos. Era la primera vez que contemplaba la desnudez de una mujer, y ésta la encontraba ciertamente repugnante. Ahora que lo pienso, no sé como podría describir a aquella mujer. Su cuello era semejante al de la Torre de David, su ombligo como un cubilete, y su vientre igual que un saco de harina putrefacta. En cuanto a su vello, comenzaba en la cintura y llegaba hasta las rodillas, que podía rivalizar con el pellejo de un macho cabrío completamente negro.

Sus piernas, formaban dos columnas muy macizas, derechas como postes, y sin rastro de corvas ni tobillos. De hecho, todo su cuerpo era una masa grasienta, blanda y que se movía como si se fuesen a caer los sobrantes de grasa que tenía. Y, si bien su olor no era el de los cedros del Líbano, sí era, ciertamente, una mezcla de moho, alcohol, pescado podrido y sudor; cuando mi nariz entró en contacto con su pubis, el olor de pescado fue entonces dominante.

La Cantinera se exhibió así ante mí, durante un minuto largo, luego, acercándose más, puso uno de los pies sobre el diván, acto seguido, abriendo las piernas cuanto podía, y cogiendo mi cabeza con sus manos sucias y pegajosas, dijo:

—Ven cariño, hazle cosquillas a tu gatito.

Al tiempo que la oscura masa de vello se abría, dejando al descubierto dos enormes labios, y en medio de estos bordes babosos, cuyo color tenía el aspecto de una inocente res recién abierta en canal, pude ver algo semejante a la extremidad de un pene perruno, que apuntaba en dirección a mi boca.

Todos mis camaradas, para asombro mío, se echaron a reír a carcajadas. Yo me preguntaba por qué, ya que no tenía la menor idea de lo que quería decir con «hacer cosquillas», ni lo que pretendía la vieja prostituta, y no comprendía tampoco cómo un acto tan repugnante podía prestarse a bromas.

—¿Y cómo terminó tan alegre velada?

—Se sirvieron bebidas, cerveza, licores, y botellas de una bebida espumosa a la que pretendían llamar champán, y que nada tenía que ver con el producto francés, aunque las mujeres de la casa no le hacían el más mínimo asco. Después de esto, y no queriendo dejarnos marchar sin habernos divertido con sus peculiares habilidades, así como para sacarnos algún dinero más, nos propusieron montarnos una representación especial.

Se trataba, al parecer, de un espectáculo raro, y seguramente el que habíamos venido en principio a ver, porque mis camaradas aceptaron de inmediato, entusiasmados. Allí mismo, el saco de grasa comenzó a desnudarse y a mover las piernas en una mala imitación de la danza del vientre. La desdichada alta y morena siguió su ejemplo, y, de un solo movimiento del cuerpo, dejó caer toda su ropa.

A la vista de aquella enorme masa de carne blanda, bailando sobre los muslos en modo de columna erecta, la criatura delgada levantó los brazos y aplicó una sonora nalgada en el trasero inmenso de la Cantinera, pareciendo, al hacerlo, como si su mano se hundiera en un montón de sucia manteca.

—¡Ah! —Exclamó la obesa—. ¡Así que es éste el juego que os satisface! A continuación, respondió a la nalgada con otra todavía más sonora en el huesudo trasero de su oponente.

Como impulsada por el golpe, la alta y delgada comenzó a correr entonces alrededor de la habitación, perseguida por la Cantinera, que intentaba propinarle nuevas cachetes en el trasero.

Al ir a pasar, en una de las vueltas, la vieja prostituta por el lugar donde se encontraba Walter, éste le propinó a su vez un cachete en las nalgas, en lo que todos los otros siguieron, empezando las nalgas de las dos mujeres a llenarse de gruesos moretones.

Habiendo conseguido al fin la obesa capturar a la que estaba persiguiendo, la sentó sobre sus rodillas, diciendo: «Ahora, querida, vas a recibir lo que mereces».

Y uniendo el acto a la palabra, comenzó a administrarle una buena paliza en los magros glúteos.

Pasando luego, para dar variedad al espectáculo, a los besos y las caricias, muslo con muslo, pecho con pecho. A continuación, apartando el vello que recubre el pubis, y separando los labios oscuros, espesos y flácidos, se pusieron a frotar los clítoris, agarrándose mutuamente las piernas, y juntando las bocas, comenzaron a pasarse así sus malolientes alientos, y a chuparse una a otra la lengua, al tiempo que se frotaban, se manoseaban, se revolvían una contra otra, entregándose a mil contorsiones, para expresar la intensidad de su placer.

Finalmente, la alta y delgada, tomando el trasero de la gorda, abrió sus enormes glúteos, y gritó:

—¡Un pétalo de rosa!

Yo me preguntaba qué querría decir con aquello y dónde iban a buscar el citado pétalo, puesto que no había flor alguna en la habitación. Y suponiendo que la hubiera, ¿qué pensaba hacer con ella?

Mi asombro no duró mucho; el saco de gelatina hizo a su amiga lo que ésta le había hecho, y otras dos criaturas, entonces, arrodillándose ante los traseros que las otras mantenían abiertos, introdujeron sus lenguas en el negro agujero de sus anos, y se pusieron a lamerlos con gran placer de todas las restantes prostitutas, de las así cosquilleadas y de los asistentes.

No contentas con esto, las arrodilladas, introduciendo el índice entre los muslos de las que les ofrecían el trasero, se dedicaban a una vigorosa labor de frotamiento.

La alta y delgada, entre la masturbación, el manoseo y las lengüetadas, se retorcía frenéticamente, jadeaba, sollozaba, gritaba de placer y casi de dolor, hasta caer por fin agotada.

—¡Ay! ¡Ay! ¡Basta...! ¡Basta ya...!

Acto seguido, con suspiros monosílabos expresaba la intensidad de su goce.

—Muy bien. Ahora me toca a mí —dijo la Cantinera, entendiéndose sobre un sofá y abriendo ampliamente las piernas, hasta dejar totalmente abiertos, como en un bostezo, los labios situados entre ellas, por donde estaba asomando un clítoris de tales dimensiones, que en mi ignorancia tuve que concluir que se trataba de una hermafrodita.

La otra furcia, por cierto, tengo que aclarar que era la primera vez que yo escuchaba esta expresión, que por entonces empezaba a recobrarse ya de su pasmo, introdujo la cabeza entre las piernas generosamente abiertas de la obesa, empezando a acariciar con su lengua el clítoris tenso, húmedo y congestionado de la otra, y colocándose de tal manera que sus partes sexuales quedaban a la altura de la boca de la vieja. De nuevo comenzaron los gemidos, las fricciones, las sacudidas de trasero y las contorsiones, mientras los cabellos de ambas, desparramados por el sofá, caían hasta el suelo. Se restregaban una a otra con rabia, hurgándose mutuamente el ano con los dedos índices, o cosquilleándose los pezones y arañándose por todas partes, igual que dos ménades [*], llenas de furia erótica, que sólo al besarse lograban ahogar sus gritos espasmódicos.

[*] *Ménades: sacerdotisa de Baco. Solía ponerse muy excitada en la celebración de los misterios.*

Para mi era un espectáculo obsceno y desagradable. Su lujuria iba en continuo aumento, sin que en ningún momento parecieran agotadas, mientras la maciza mujer, llena de ardor impúdico, apretaba con todas sus fuerzas la cabeza de su favorita, con tal violencia que tal parecía querer engullirla entera en su vagina.

Lleno de repugnancia, me volví para no ver nada más de esta escena repugnante, pero todavía faltaban otras aún más repugnantes que estaban empezando a ocurrir a mi alrededor.

Acto seguido, las restantes prostitutas habían empezado a desabrochar las braguetas de mis compañeros, y unas, con el miembro en la mano, acariciaban los testículos, recorriéndoles la verga con la lengua, mientras otra, arrodillada ante un imberbe muchacho, le succionaba ávidamente el pene, y una tercera, sentada a horcajadas sobre las piernas abiertas de otro de mis camaradas se agitaba de arriba abajo, como un bebé que jugara a los caballitos. Fuera porque el número de mujeres no era suficiente, fuera por pura diversión, una cuarta prostituta se agitaba entre las vergas de otros dos de mis compañeros, que la penetraban a la vez por delante y por detrás. Muchos más horrores ocurrían en aquella habitación, además de éstos, pero no tuve tiempo de ver ya más.

Muchos de mis compañeros, que habían llegado al prostíbulo bien repletos de champán, cerveza, y absenta que es un alcohol elaborada con ajenjo y otras hierbas aromáticas, empezaron a sufrir tremendas náuseas, y, entre convulsiones, comenzaban a arrojar al suelo cuanto contenían sus estómagos.

Y en medio de tan descorazonador espectáculo, la alta y delgada tuvo de repente una crisis histérica; se echó a gritar y a sollozar, sin que la vieja furcia obesa, en medio de su furor erótico, le permitiera levantar la cabeza, manteniéndola con la boca pegada al lugar que poco antes cosquilleaba con su lengua, mientras a voz en grito le decía:

—¡Lámeme, lámeme más fuerte...! ¡No apartes la lengua...! ¡Ya me viene! ¡Ahora...! ¡Lámeme, chúpame, muérdeme la voluptuosa criatura!

Sin embargo, en medio de la exaltación, había conseguido retirar la cabeza.

—Mira qué caverna — dijo Walter, mostrándome la inmensa abertura de la prostituta obesa, que aparecía como un inmenso pozo negro en la mitad del tupido vello pubiano—. Voy a meterle mi dardo allí dentro y a frotarlo. Ahora verás.

Quitándose el pantalón, se disponía a cumplir lo que acababa de anunciar, cuando por toda la pieza resonó una tos cavernosa, seguida de un grito desgarrador; y, antes de que pudiésemos llegar a comprender lo que estaba ocurriendo, vimos el cuerpo de la diabólica obesa recubierto de sangre y a la alta y delgada caída a su lado. En un acceso de lubricidad, ésta había hecho romperse sin duda una de las venas del pecho, y yacía en el suelo moribunda. ¿Moribunda? ¡No! ¡Estaba muerta...!

—¡Ah, la muy cerda! —Exclamó la patrona cuya cara hinchada asomó en aquel momento por la puerta—. Se acabó la historia con esta cochina y me debía dinero... Sí que me debía...

No recuerdo la suma que mencionó en aquel momento, pero, al mismo tiempo, la Cantinera seguía retorciéndose en el sofá, todavía manoseándose, llena de rabia, hasta que, sintiendo por fin la tibieza de la sangre que la inundaba, comenzó a chillar y a patalear frenéticamente. Había llegado por fin al orgasmo.

El jadear de la moribunda quedó así mezclado con los gritos de placer de la otra.

Yo me aproveché de la confusión que siguió a esta escena para marcharme rápidamente. Estaba satisfecha para siempre mi curiosidad y totalmente curado de la tentación de visitar más «Casas de placer». Había sido una desagradable experiencia que no se me olvidará mientras viva.

❀4❀

Pensaba explicar cuales fueron mis sentimientos en aquellos momentos, y como había influido en mi aquella terrible visita, pero mi interlocutor me dijo:

—Siento interrumpirle pero me gustaría que volviese a la historia principal, si le parece. ¿Cuándo volvió usted a ver a Teleny?

—No antes de un cierto lapso. La cuestión es que, por más que me sintiera irremediablemente atraído hacia él, una fuerza misteriosa me impedía constantemente ir a su encuentro, llevándome a evitarlo; pero, cuando alguna vez tocaba en público, corría inmediatamente a oírlo, o más bien, a verlo, sintiéndome vivir tan sólo en aquellos cortos instantes. Mis prismáticos siempre se quedaban totalmente fijos en él; y su figura de semidiós, tan llena de juventud, de vida, de virilidad, me mantenía como hipnotizado.

Mi violento deseo de apretar mi boca contra la suya, penetrando sus labios, me excitaba hasta el punto de sentir humedecérseme el falo.

En determinados momentos, el espacio que nos separaba parecía acortarse de tal modo, que yo podía respirar casi el perfume de su cálido aliento, y sentir su contacto en mi propia carne.

La sensación que me producía la idea de su piel desvirgando la mía, excitaba de tal manera mis nervios que este goce empezaba por causarme un delicioso cosquilleo, que poco después, terminaba ocasionándome un acuciante dolor.

Él parecía tener siempre la intuición de mi presencia en el teatro, porque sus ojos siempre estaban intentando descubrirme entre la muchedumbre, si bien yo sabía que no podía verme, escondido como estaba en un rincón del palco, en una esquina del patio, o en el fondo de la platea; y, sin embargo, donde quiera que yo me escondiera, sus miradas se dirigían siempre exactamente hacia el lado donde me ocultaba. ¡Aquellos ojos...! Ojos misteriosos e impenetrables como la negra y misteriosa superficie de un pozo sin fondo.

Aún hoy, cuando los rememoro, después de tantos años, mi cabeza da vueltas. Si hubiera usted visto aquellos ojos, conocería esa ardiente languidez que tan a menudo describen los poetas del amor.

Yo me sentía muy orgulloso de una cosa, y es que, después de la famosa velada de caridad, donde lo había visto por primera vez, Teleny tocaba de una manera, si no teóricamente más correcta, sí con mucha mayor fuerza y sentimiento. Ponía toda su alma en aquellas voluptuosas melodías húngaras, y aquellos cuya sangre no estaba congelada por la edad o los celos, se extasiaban ante esta música divina.

Todos empezaron a comentar su extraordinaria valía. Su nombre ya estaba empezando a atraer a un numeroso público, y, aunque tengo que reconocer que los críticos se hallaban divididos en sus apreciaciones, los periódicos le escribían largos artículos sobre él.

—Me asombra que, lleno de amor como usted estaba, tuviera el valor de sufrir y resistir la tentación.

—Es que yo era joven, y tenía escasa experiencia. Era una persona digamos, «demasiado moral». ¿Y qué es la moralidad sino el prejuicio?

—¿Un prejuicio? ¿De verdad lo cree así?

—Sin ninguna duda. ¿Acaso la naturaleza es moral...? ¿Acaso el perro que empieza a oler y lamer con evidente satisfacción la vagina de la primera perra que encuentra perturba su cerebro exento de falsedades con la más mínima idea de la moralidad? ¿Acaso el caniche que intenta sodomizar al pequeño cachorro sin raza que cruza por la calle se preocupa lo más mínimo por la opinión de los censores de la raza canina?

Pero yo, en cambio, a diferencia de los perros y los caniches, me hallaba completamente saturado de todo tipo de ideas falsas; ésta es la razón de que, tan pronto pude comprender la verdadera naturaleza de mis sentimientos por Teleny, me sentí embargado por el horror e intenté ahogarlos.

De haber conocido algo mejor la estúpida y artificial naturaleza humana, hubiera abandonado Inglaterra y me hubiera ido a las Antípodas, poniendo al Himalaya como barrera entre él y yo.

—Eso quizás le hubiera permitido cambiar de objeto y satisfacer su gusto natural con algún otro; o tal vez con él mismo, de haberlo encontrado tiempo más tarde.

—Tiene usted razón. Aunque si seguimos la teoría de los fisiólogos, el cuerpo del hombre cambia cada siete años, pero sus pasiones permanecen siempre las mismas, y se conservan en él, aunque sea en estado latente. Su naturaleza no mejorará por el hecho de darle vía libre. Sigue equivocándose y confundiendo a los otros, mostrándose siempre bajo una luz que no es la verdadera. Yo sé, por ejemplo, que he nacido homosexual, pero la culpa, que no creo que existe ninguna, es de mi constitución, no mía.

He leído todo cuanto hay escrito hasta ahora sobre el amor entre varones. Sobre ese tan detestable crimen contra natura que algunos dicen que es. Pero nadie quiere pensar, que no es nada nuevo. Que es algo que siempre ha existido, no solamente entre los dioses, sino también entre los más grandes hombres de la Antigüedad, comenzando por el legislador Minos [*], quien probablemente sodomizó a Teseo [*].

[*] *Minos: en la mitología griega era el rey de Creta, hijo de*

Zeus y Europa.
   [*] *Teseo: fue rey de Atenas, hijo de Etra y Egeo.*

En aquellos momentos yo consideraba todo esto como una monstruosidad, como un crimen mucho peor que la idolatría o paganismo, tal como lo dice Orígenes [*]. Y, sin embargo, tuve que admitir que el mundo, incluso después de la destrucción de las Ciudades Malditas [*], seguía cayendo con frecuencia en esta equivocación o perversión, pues las hijas de Pafos, durante los gloriosos días de Roma, con más que mediana frecuencia eran menospreciadas por los hermosos varones de la isla.

   [*] *Orígenes: esta considerado como el Padre de la Iglesia oriental y junto con San Agustín y Santo Tomás forman los tres pilares de la teología cristiana.*
   [*] *Ciudades Malditas: Sodoma y Gomorra.*

El cristianismo llegó muy a tiempo para barrer los considerados monstruosos vicios del Mundo Antiguo, y el catolicismo, más tarde, se dedicó a quemar en efigie, a cuantos malgastaban su simiente. Los papás tuvieron sus castrados, los reyes sus pajes, y si la Iglesia cerraba los ojos sobre la pederastia de sus sacerdotes, monjes, legos y profesos, es justamente porque la religión no comprendía que su instrumento servía para fabricar niños.

En cuanto a los templarios, si tuvieron que ascender a la pira, no fue ciertamente debido a su pederastia, que era de dominio público, sino porque el rey de Francia codiciaba sus riquezas.

Resulta divertido constatar que todos los escritores acusan a las naciones vecinas de esta condena, dejando exenta sólo la suya.

Los judíos reprochaban ese vicio a los gentiles, y los gentiles a los judíos. Lo mismo ocurrió con la sífilis. De acuerdo con los escritos de la época, los ovejas negras contaminadas, traían del extranjero esa perversión de gusto. ¿No decía hace poco un manual médico moderno que el pene del sodomita se adelgazaba y estimulaba hasta semejarse al de un perro, y que la boca habituada a las prácticas viles se deforma...? Al leer tal cosa, yo temblaba de repugnancia y horror y la sola vista de dicho libro me hacía palidecer.

—Mi posterior experiencia me demostró la falsedad de tales engaños. Confieso haber conocido cantidad de prostitutas, además de otras muchas mujeres, que se servían de su boca para cosas bien distintas del rezar a Dios o besar la mano de un confesor, y jamás noté deformación alguna en sus labios. ¿Lo ha notado usted...? En cuanto a mi pene, el enorme champiñón que la corona, sigue igual que siempre. Pero será mejor que dejemos este tema. Por esta triste época me solía torturar, temiendo haber cometido, moral, si no físicamente, el horrible pecado.

La religión mosaica, endurecida luego por la Ley del Talmud [*], había inventado una especie de capucha para el acto de la copulación. Esta vaina envolvía el cuerpo entero del marido, sin dejarle más que una estrecha hendidura, suficiente para hacer pasar el pene y permitirle arrojar el esperma en los ovarios de la esposa y fecundarla, pero impidiéndole al máximo el placer carnal. Pero hace tiempo que se ha dejado de lado el capuchón, y ahora sólo se les pone la capucha de esa forma a los halcones. Sin embargo, ¿no estamos ahora envueltos en algo peor? Esa Ley Mosaica que es la nuestra, ampliada por los preceptos místicos de Cristo, se ha vuelto aún mucho más severa en el ámbito de la hipocresía protestante. Pues, si, como los calvinistas afirman, se comete adulterio cada vez que se codicia a una mujer, ¿estaba yo cometiendo un crimen de sodomía cada vez que deseaba a Teleny o pensaba en él?

[*] *Talmud: Recopilación de las tradiciones orales de los rabinos, tanto religiosas como jurídicas.*

Había momentos, sin embargo, en que la fuerza de la naturaleza ahogaba en mí todos mis prejuicios; hubiera entregado de buena gana mi alma a la perdición, ¿qué digo? Mi cuerpo a las llamas eternas, por poder huir con él a cualquier parte, a los confines de la tierra, o a un isla desierta, donde desnudo como Adán, hubiera vivido durante años con él, en pecado mortal, saciándome con su fascinante belleza.

Pero, sin embargo, decidí alejarme carnalmente, y limitarme a ser su inspirador y el guía de sus pensamientos, ayudando así a hacer de él un artista grande y célebre. En cuanto al fuego que me devoraba, pensaba que llegaría a dominarlo.

Yo sufría. Día y noche mis pensamientos volaban hacia él. Mi cerebro bullía, mi sangre se caldeaba, y mi cuerpo estaba en un estado de constante agitación. Recorría cada día los periódicos para saber lo que se decía de él, y cuando su nombre aparecía ante mis ojos, mi mano temblaba sosteniendo la hoja. Si mi madre o cualquier persona citaba su nombre, palidecía y me sonrojaba alternativamente.

Recuerdo como si fuese ahora mismo, el choque de placer, mezclado con celos, que sentí cuando por primera vez vi su retrato en un escaparate, colocado al lado de los de otras celebridades.

Lo compré de inmediato, pero no por el sólo placer de poseerlo, sino, sobre todo, para que nadie más lo pudiese contemplar.

—¡Diablos! ¿Hasta ese punto era usted celoso?

—¡Hasta la locura! Después de cada concierto, yo lo seguía de lejos, sin que él se diera cuenta.

Generalmente andaba solo. Pero una tarde lo vi subir a un coche de alquiler que se hallaba situado ante la salida de artistas. Había alguien dentro:

¡Era una mujer...! Con gran sobresalto, decidí seguir al coche. Éste se detuvo ante la puerta de una casa, y yo mandé también detenerse a mi cochero.

Teleny bajó del coche y ofreció su mano a una dama que llevaba un velo que le cubría.

Luego, despidió al cochero, y penetraron en la casa.

Di orden a mi cochero de esperar. Era una cálida noche de verano y la calle era la tranquila Belgrave. Las avenidas del cercano parque perfumaban el ambiente e impregnaban el ánimo de una voluptuosa tibieza. Esperamos una buena parte de la noche. Hacia las dos de la mañana, el coche de antes volvió a aparecer ante la puerta y se detuvo. Al cabo de pocos minutos la puerta de la casa se abrió y la dama salió acompañada de su amante. Mi coche los siguió hasta su nuevo destino, la casa de ella, y pocos días más tarde pude saber cuál era su nombre.

Se trataba de una importante y conocida dama, de intachable reputación, una condesa con la que Teleny había tocado algunos dúos en varios conciertos.

Y ahora voy a contarle una cosa casi increíble. Mientras me encontraba en el interior de mi coche de alquiler, con el corazón oprimido por la angustia, y en un estado a la vez de sobreexcitación nerviosa y semiinconsciencia, caí de repente en una especie de estado somnoliento. Me pareció como si mi espíritu abandonara mi cuerpo y se disgregara para seguir como una sombra al cuerpo del hombre que yo amaba. Puedo asegurarle que no se trataba de una alucinación. Por extraño que parezca, en semejante estado pude vivir todos los actos y experimentar todas las sensaciones de mi amado. Era como si estuviese al lado de ellos.

En efecto, apenas hubo la dama cerrado la puerta, estrechando a Teleny en sus brazos, dio a éste un beso largo, que hubiera resultado interminable, de no haber murmurado Teleny suavemente:

—¡Vayamos a mi apartamento...! Allí estaremos mucho más cómodos.

Y subieron las escaleras hasta llegar a él.

Ella miraba tímidamente en torno suyo, y, al verse sola en aquel piso de soltero con su joven dueño, enrojeció por un momento, como si se avergonzara de la imprudencia que estaba cometiendo.

—¡Oh, René...! —Dijo en un suave murmullo—. ¿Qué estará pensando usted de mí?

—Que usted me ama —respondió él.

—¡Oh, sí! ¡Le amo...!

Y quitándose el abrigo, estrechó a Teleny en sus brazos, cubriendo con ardientes besos su frente, sus ojos, su boca; aquella exquisita boca por la que yo me estaba consumiendo por no poder besarla.

Aspiró por un instante su aliento, y luego, como asustada de su propia audacia, le tocó los labios con la punta de la lengua, y, cada vez más enardecida, la deslizó hacia dentro de la boca de él, introduciéndola a golpes sucesivos. Este beso le infundía una lubricidad tal que tuvo que sujetarse a su cuello para no desfallecer.

Finalmente, tomando a Teleny de la mano, se la colocó sobre sus senos, para que aquél se los cosquilleara, viéndose pronto embargada de placer.

—¡Oh, Teleny, Teleny! —Murmuró en un susurro—. ¡Deténgase, por favor...! ¡Es demasiado!

Y tomando una de sus piernas entre sus muslos, empezó a frotar contra ella, con todas sus fuerzas, sus partes sexuales.

A pesar de los celos que me devoraban, no podía dejar de constatar de qué modo la calma de mi amado en esto momento difería del alborozo que parecía experimentar la noche en que, quitándose su ramillete de heliotropo, lo colocó en mi ojal.

Aceptaba pacientemente sus caricias, sin devolvérselas, y le acariciaba los senos como la misma calma con que se hubiera puesto a arreglarle las uñas.

Al principio, ella tomó esta frialdad como una señal de timidez, y no se ofendió.

Se hallaba suspendida de él, con uno de sus brazos rodeándole la cintura, y el otro colgando de su cuello; sus hermosos dedos cubiertos de anillos jugaban con sus bucles y acariciaban su nuca, mientras él continuaba tranquilamente con su trabajo de cosquillearla.

Hundiendo su mirada en la suya, ella exhaló entonces un suspiro.

—Usted no me ama. Lo veo en sus ojos. No está usted pensando en mí. Piensa en otra.

Era verdad. Su pensamiento volaba hacia mí, amoroso y lánguido, pero al oírla decir esto, se excitó, la tomó en sus brazos, la manoseó, la besó con mayor ardor aún de lo que había hecho hasta entonces, y sorbiéndole la lengua, le introdujo la suya en su boca.

Tan pronto como ella pudo reponerse de este ataque, exclamó:

—¡No...! ¡Estoy equivocada...! ¡Me ama...! ¡Yo veo que me ama! Y no me desprecia por estar aquí, ¿verdad que no...? ¡Ah...! ¡Si pudiera usted leer en mi corazón y ver cuánto le amo!

Y lo envolvió en una mirada apasionada.

—Sin embargo, piensa usted que soy una mujer ligera. ¿Verdad...? Soy una mujer adúltera —añadió, escondiendo la cara.

Él se compadeció un poco de ella y, tomándole las manos, la besó.

—No imagina usted los esfuerzos que he hecho para resistirle, para, al fin, caer vencida. No me ha sido posible. Un fuego me devora por dentro. Mi sangre ya no es sangre, es un filtro de lava ardiente. Ya no tengo voluntad —dijo ella, levantando la cabeza, como para desafiar al mundo—; aquí estoy, haga de mí lo que quiera, sólo ¡dígame que me ama! ¡Oh, sí, dime que no amas a otra mujer...! ¡Júralo...!

—Lo juro —respondió él—. No amo a otra mujer.

Y, sin poder comprender el verdadero sentido de estas palabras, ella añadió con pasión:

—Vuelve a repetirlo, dilo de nuevo. Es tan dulce oírlo decir de labios de aquel a quien se ama.

—Te aseguro que nunca he deseado tanto a una mujer

como te deseo a ti.

—¿Deseado? —Repitió ella, despechada.

—Amado, quiero decir.

—¿Te atreverías a jurarlo?

—Sobre la cruz, si así lo exiges —añadió él sonriendo.

—¿Y no tienes una mala opinión de mí por haber venido aquí...? Pues bien, has de saber que eres el primer hombre con quien traiciono a mi marido. Dios es testigo de que siempre le he sido fiel. Pero me amor disculpa mi pecado. ¿No es así?

Teleny no respondió de inmediato. Sus ojos vagaban totalmente soñadores. Luego, como quien sale de un sueño, dijo de repente:

—El pecado es lo único que da valor a la vida.

Ella lo miró, un poco asombrada. Luego lo besó y respondió:

—Tal vez tienes razón: sí, así es. El fruto prohibido es agradable a la vista, al tacto, al gusto y al olfato.

Se sentaron en un sofá, con los brazos entrelazados, y él deslizó una mano, tímidamente y un poco casi con disgusto, debajo de sus faldas.

Ella se la tomó y lo detuvo.

—No, René, se lo ruego. ¿No podríamos amarnos con un amor platónico? ¿No le bastaría con eso?

—¿Le basta eso a usted? —Dijo él, casi con severidad.

Ella apretó sus labios contra los suyos, dejó libre su mano, y los dedos de Teleny comenzaron a escalar por su pierna, desde la rodilla. Los muslos, estrechamente cerrados, le impedían el paso, le dificultaban el acceso hasta las zonas ocultas.

Empleando una cierta violencia, él se abrió paso de nuevo, acariciando las carnes por debajo de las enaguas de fina tela, y avanzando con sabio y audaz método, llegó a su meta. Su mano penetró por la abertura y palpó la piel dulce y cálida.

—¡No, no...! —Dijo ella, intentando aún detenerlo—. Se lo

ruego, ¡me hace cosquillas!

Defensa ésta que no hizo sino excitarlo mucho más, hasta acabar hundiendo sus dedos en el intersticio que ocultaba el vellón.

Ella continuaba apretando las piernas, tanto más fuertemente cuanto los dedos invasores tanteaban ya lo labios húmedos. Pero el contacto electrizante de éstos acabó por vencer su resistencia. Sus nervios se distendieron y los músculos quedaron relajados, mientras la extremidad del dedo de Teleny penetraba en la hendidura, donde un delicioso botón se erguía para recibirlo.

Pronto empezó ella a exhalar suspiros profundos, y abrazando a Teleny, hundió su cabeza en su hombro.

—¡Oh, qué delicia...! ¡Qué fluido magnético posee usted para hacerme experimentar semejante placer!

Sin responderle, Teleny se desabrochó el pantalón y, tomando la delicada mano de la condesa, intentó introducirla en la bragueta. Ella se resistió un poco, pero débilmente, no deseando en el fondo otra cosa. Cediendo, al fin, empuñó valientemente el pene de su oponente que, completamente tenso y duro, se agitaba como un badajo nervioso.

Tras unos instantes de voluptuosa manipulación, sus labios se unieron. Con un movimiento imperceptible, él la tendió sobre el sofá y, levantándole ligeramente las piernas, retiró las enaguas, sin apartar la lengua de su boca, ni su dedo del clítoris, que ya estaba empapado por el rocío.

Habían llegado al punto deseado; no había necesidad de abrir los labios inferiores, que se entregaban por sí mismos, para facilitar la entrada de lo deseado.

De un vigoroso empujón él lo introdujo en el vestíbulo del templo, y haciendo un segundo esfuerzo, lo introdujo a más de medio camino, haciéndolo llegar al fondo del santuario con un tercero. Ella no estaba en los primores de la juventud, pero estaba en plena flor. La firmeza de sus carnes y lo estrecho de su conducto exigían cierto esfuerzo. Unos ligeros embates más, y el dios quedó firmemente alojado en el tabernáculo. Entonces, y mientras con una mano le acariciaba los senos, Teleny empezó a explorar con la otra la zona de las nalgas, las apartó, e introdujo en el orificio trasero el dedo corazón.

Ensartada así por ambos lados a la vez, la condesa flotaba como en un éxtasis.

Después de algunos segundos de seguir este juego, le tocó a Teleny compartir las delicias. El fluido lechoso, acumulado durante todo este tiempo, no pedía otra cosa que salir, y así lo hizo, inundando en espesas oleadas la vagina, desbordándola, mientras ella, calmada por el licor de la vida, revelaba su felicidad con suspiros y gritos. Sus fuerzas, en este momento, la abandonaron; sus brazos y piernas se pusieron totalmente rígidos, y quedó tendida, como sin vida, sobre el diván, mientras él, extendido sobre ella, quedaba igualmente quieto, tras haber dado al conde la posibilidad de tener por heredero a un pequeño bohemio. Al poco, se levantó y la hizo volver en sí; ella, tomándole las manos, vertió sobre ellas un torrente de lágrimas.

Después, una copa de champaña trajo a su cabeza una impresión algo menos lúgubre de las cosas del mundo. Y la ligera cena que siguió a continuación, acompañada de algunos tragos más, bebidos en la misma copa, acabaron por disipar su tristeza.

—¿Por qué no nos ponemos cómodos, querida? —Dijo él—. Voy a darte ejemplo, ¿quieres?

—De mil amores.

Teleny se quitó su corbata blanca. Acto seguido, se arrancó ese apéndice inútil y tieso, llamado cuello postizo, inventado por una moda estúpida con el solo fin de torturar a la humanidad, y siguieron a éste la pechera y el resto de las prendas, sin conservar otra cosa que la camisa y el pantalón.

—Ahora, querida, permíteme servirte de doncella.

La hermosa dama se resistió al principio, pero algunos besos acabaron por decidirla, y las prendas fueron cayendo al suelo una a una, exceptuando una camisa transparente de crepé de China, las medias de seda negra y los zapatos de raso.

Teleny comenzó a cubrir de besos su cuello y su nuca, y sus brazos desnudos, frotando sus mejillas contra el negro ramillete de sus axilas, y todo ello sin cesar de cosquillearla como antes había hecho; ella temblaba, bajo la acción de este cosquilleo implacable, mientras la hendidura de entre la piernas, abriéndose como en un bostezo, dejaba asomar el clítoris, parecido a una baya de espino, que asomaba la cabeza como para ver qué ocurría.

Teleny la apretaba contra su pecho; y, su pene, saltando de la jaula donde se hallaba encerrado, se arrojó sobre la abertura presta a recibirlo.

La condesa se frotaba voluptuosamente contra él. Teleny, sintiéndola desfallecer, la extendió sobre la piel de pantera que hacía las veces de alfombra.

Toda intimidad y todo resto de pudor desaparecieron a partir de aquel momento. Los vestidos se esfumaron. Acostado sobre ella y apretándola con todas sus fuerzas, apunta e introduce su dardo, mientras ella, para ayudarlo a penetrar más profundamente, entrecruza tan fuertemente sus piernas sobre el lomo del arquero que éste apenas puede moverse. Este, no obstante, fricciona cuanto puede su receptáculo, y ello basta para que poco después de algunos sobresaltos mutuos y violentos, el líquido ardiente que él le inyecta le produzca un tal espasmo que la deja rígida y como inanimada sobre la alfombra, mientras él rueda a su lado, hasta quedar en idéntica posición.

Durante todo el tiempo que esta visión duró, yo permanecí postrado y semidesvanecido, tendido en el asiento del coche de alquiler. Luego, pude recobrar la facultad de reflexionar y razonar.

Hasta aquel momento yo había tenido la intuición de que mi imagen no había dejado de estar presente en su cabeza, aún mientras gozaba de aquella mujer en la plenitud de la belleza de la juventud. Pero el intenso placer que ella acababa de procurarle ¿no le habría tal vez hecho desaparecer de su espíritu?

¡Cómo lo odié en ese momento! Hubiera querido ser una fiera para deshacerlo con mis garras, para torturarlo, para hacerlo pedazos. ¿Con qué derecho concedía su amor a otra...? ¿Es que yo quería e idolatraba a otro ser como lo amaba a él?

¿Hubiera podido yo acaso sentir placer con otra persona? ¡No...! Mi amor no era un vulgar sentimentalismo, sino una de esas pasiones enloquecedoras, que dominan los cuerpos y traspasan el cerebro.

Pero, si amaba a las mujeres, ¿por qué había jugado conmigo la comedia del amor, obligándome a amarlo y haciéndome despreciable a mis propios ojos?

En medio del arrebato de la excitación, me retorcía, me mordía los labios hasta hacerme sangre y clavaba las uñas en mi propia carne, llorando de vergüenza y de rabia. Poco faltó para que saltase del coche y me dirigiera a llamar a su puerta.

Este estado de depresión duró un breve tiempo, luego la alucinación volvió a capturarme. Los vi a ambos salir del estado de extenuación en que el exceso los había sumido.

Teleny la miraba en total silencio. Ahora podía ver claramente sus rasgos.

En ese momento, mi oyente, intervino preguntando:

—¿Esta seguro de que no se había quedado usted dormido en el interior de su coche, y soñó todas esas escenas...?

—En absoluto. Le aseguro que todo ocurrió tal como se lo cuento. Cuando, más tarde, pude relatar a Teleny toda mi visión, éste reconoció que todo había ocurrido tal y como yo lo había visto.

—¿Y cómo diablos puede ser eso?

—Por medio, sin duda, de una poderosa transmisión de pensamiento. No es absolutamente imposible. No me cree, ¿verdad...? No soy el único que ha experimentado este tipo de visiones, y las actuales experiencias de los psíquicos ofrecen numerosos ejemplos de esto.

—Bien, pues prosiga.

—Retomando mi relato, estaba diciendo que Teleny observaba a su amante, tendida a su lado sobre la piel de pantera.

Ella dormía profundamente. Era el pesado sueño que sigue a la fatiga amorosa. Como ocurre en la primavera con la savia de los árboles jóvenes, la saliva fluía de sus labios entreabiertos, por los que exhalaba igualmente una respiración dulce y uniforme. Sus senos se erguían como si rebosaran de leche, y sus pezones tensos parecían reclamar nuevamente la caricia de alguien; un temblor de deseo recorría todo su cuerpo.

Entre los muslos, su espeso bello rizado, negro como el mismo azabache, se exhibía adornado por los destellos de las gotas perladas que lo recubrían.

Semejante sensual espectáculo hubiera despertado la lujuria del mismo José, que es el único israelita a quien hayamos oído vanagloriarse de su castidad, pero, sin embargo, Teleny, reposando la cabeza sobre su codo, la contemplaba con un expresión de absoluta indiferencia, de disgusto incluso, con la misma expresión de quien contempla los restos de comida y botellas que adornan una mesa de banquete, después de concluido éste. Le tapó las piernas con su camisa e hizo el mismo gesto de desprecio del hombre hastiado por una mujer que acaba de procurarle un placer culpable, y degradante y que, sabiéndose injusto hacia ella, la desprecia aún más.

En ese momento, volví a tener el primer pensamiento que tuve. ¡No la amaba...! ¡Era a mí solamente a quien pertenecía su amor, cosa que había olvidado por unos momentos...!

La condesa se despertó, al sentir frío, y creyéndose en la cama intentó cubrirse. Su mano, al comenzar a palpar para recoger las sábanas imaginarias no dio más que con la camisa, y abriendo con cierto temor los ojos encontró los de su amante que la miraban con una indefinible expresión de reproche y enfado. Asustada, pasó sus brazos por el cuello de éste.

En tono preocupado y mientras sus ojos se inundaban de lágrimas, dijo en un murmullo:

—¡No me mires así...! ¿Acaso soy tan repugnante...? Ya veo. ¡Me desprecias...! Tienes mucha razón. ¿Por qué he cedido...? ¿Por qué no he resistido al amor que me torturaba? Tengo que reconocer, que tú no eres el culpable. Soy yo la que te he buscado; la que te he perseguido, y ahora no sientes hacia mía más que repugnancia. ¿No es así? ¡Confiésalo...! ¡Amas a otra mujer...! ¡Oh, no! ¡No puede ser! ¡Dime que no es así!

—No; no es así —respondió Teleny con viveza.

—¡Júramelo...! ¡Júramelo...!

—Ya te lo he jurado una vez, o al menos me ofrecí a jurarlo. ¿Para qué quieres que lo vuelva a hacer, si tú no me crees?

Aunque el deseo ya se había apagado por completo en él, Teleny experimentaba una dolorosa piedad por aquella joven enloquecida, que comprometía su reputación por arrojarse en sus brazos.

¿Qué hombre no se hubiera enorgullecido de la pasión que él inspiraba en una mujer joven, bella, rica y noble, que olvidaba los juramentos que había hecho a su marido para gozar sobre el corazón de su amante de unos pocos minutos de total y peligrosa embriaguez? Pero ¿por qué motivo estas pobres desgraciadas otorgan siempre su amor a hombres que generalmente no les hacen el más mínimo caso...?

Teleny la consoló lo mejor que pudo, repitiéndole hasta la saciedad que no amaba a ninguna otra mujer, asegurándole que le sería eternamente fiel, en razón de su sacrificio; pero la piedad no es el amor, y la pasión poco tiene que ver con la violencia del placer.

Una vez satisfechos sus sentidos, la belleza de la que los había capturado perdía todo su atractivo. No obstante, volvieron a entrelazarse y él volvió a pasear, aburridamente, su mano sobre aquel hermoso cuerpo, desde la nuca hasta la raja profunda que separa las redondas y blancas colinas de los glúteos. Caricias que provocaban en la joven mujer las más deliciosas sensaciones. Después, él empezó a acariciar sus senos, pellizcando y mordisqueando sus túrgidos pezones, mientras sus dedos descendían hasta el cálido reducto escondido entre las espesuras del negro y rizado pelo situado entre los muslos. Ella suspiraba y temblaba de placer; pero Teleny, aún realizando este trabajo con la mayor maestría, permanecía gélido.

—Ya veo que no me amas, porque no es posible que tú, siendo tan joven como eres, permanezcas tan frío mientras me acaricias. Yo...

No siguió hablando. Dejó sin terminar la frase y él sintió la mordedura del reproche, lo que lo enfrió más aún; ya que no son las recriminaciones las que ayudan a levantar el pene.

Tomando entre sus dedos nuevamente calenturientos el objeto inerte, ella comenzó a acariciarlo con lascivia. A manipularlo, enrollándolo entre sus dulces y acariciadores dedos, donde éste permaneció como un tubo de pasta blanda. Ella suspiró tan penosamente como siglos antes, en parecida situación, lo había hecho la amante de Ovidio [*], e imitando lo que aquella mujer inteligente había hecho siglos antes, agachó la cabeza y colocó aquel pedazo de carne inerte entre sus labios, aquellos labios pulposos y finos. Seguidamente, su boca lo tragó entero, y comenzó a succionarlo con tanto placer como toma el bebé los flácidos senos de su nodriza; luego, volviendo a sacarlo, cosquilleó el glande con lengua experta.

[*] *Publio Ovidio Nasón: poeta romano. Sus obras más conocidas son* Arte de amar *y* Las metamorfosis, *escrita en verso.*

La verga, aunque ya menos blanda, seguía estando caído y sin fuerzas.

Supongo que usted ya sabe que nuestros ignorantes antepasados creían en esa práctica llamada «clavar las agujas», práctica que tenía por objeto dejar impotente a aquel a quien se le hacía. Por suerte, nuestras modernas generaciones, mucho más instruidas, han rechazado esta práctica como supersticiosa y grosera, y sin embargo, tal vez nuestros ignorantes antepasados tenían razón.

Mi interlocutor, extrañado, me dijo:

—¡Cómo! ¡Qué dice...! ¿Es que usted se cree esos cuentos ridículos?

—Ridículos y todo lo que usted quiera, pero se trata de hechos. Hipnotice usted a cualquiera y verá si no consigue tener poder sobre él.

—¿Acaso había usted hipnotizado a Teleny?

—No, pero una secreta afinidad unía nuestras dos naturalezas. Ésta es la razón de que, en aquel momento, sintiera yo una cierta vergüenza por Teleny. Por su parte, e incapaz de comprender esta relación oculta, su amante comparaba aquel estado de flacidez al de un joven gallo que, después de haber cantado con todas sus fuerzas al amanecer, poco más tarde, no es capaz sino de lanzar rotos cacareos.

Sentía una cierta pena por aquella mujer, y me decía que yo también me sentiría decepcionado de encontrarme en parecida situación. Y, sin embargo, me repetía casi en voz alta: «¿Acaso no estoy en su lugar?»

Este deseo tan vivamente formulado, renació en el cerebro de René; creyó que la boca de la condesa era la mía, que sus labios eran mis labios, y muy pronto su pene comenzó a tomar vida, a henchirse; los testículos adquirieron volumen de nuevo, y la erección fue tan fuerte, que a punto estuvo de llegar a eyacular.

Ella, totalmente asombrada por el cambio, y habiendo obtenido lo que deseaba, se detuvo; sabía perfectamente que «sobrepasar la meta, es perderla».

Teleny, sin embargo, temiendo que el rostro de la condesa llegara a borrar el mío, a pesar de su belleza, impidiéndole llevar a puerto su obra, la hizo girar sobre sí misma, presentándole su grupa.

Ella le dejó hacer con toda docilidad, apoyándose en las rodillas y con la cabeza baja, para ofrecerle un panorama lo suficientemente excitante como para que su instrumento, relativamente blando todavía, alcanzara sus plenas dimensiones, agitándose hasta casi tocar su ombligo.

Por un instante, Teleny tuvo la tentación de introducir aquel aparato plenamente desplegado en el estrecho orificio que se ofrecía a sus ojos radiantes y que, sin ser la sede de la vida, sí es ciertamente la del placer. El temor de lastimar tan delicada joya le detuvo. Igualmente resistió la tentación de besarlo y penetrarlo con su lengua. Instalado entre sus piernas, tanteó con el glande una abertura mucho más espaciosa, pero que ahora parecía hinchada y tumefacta por los frotamientos anteriores.

Le hizo apartar las piernas lo más que pudo, y localizó la rendija con sus dedos entre la ligazón de fisuras, similares a un parral, que formaba la entrada; apartada de la maleza, frotó con su útil la cuenca ardiente, mientras el clítoris, dentro, se erguía al calor del placer.

La dama comenzó de nuevo su melodía de temblores y gemidos. Sujetándola con ambas manos por los hombros, él hundió su instrumento, con cierta dificultad al principio, debido a la tumefacción de las carnes; unas pocas embestidas dieron rápidamente cuenta del obstáculo, y el bastón penetró hasta la raíz, hasta tocarse entre sí los dos toisones, y tan profundamente que ella exhaló un grito a la vez de placer y de dolor.

Durante casi diez minutos, una eternidad de delicias, ella tembló, gimió, suspiró, gimió y se extasió.

En medio del total abandono y la embriaguez del exceso, exclamó:

—¡Oh...! ¡Cómo lo siento! ¡Más adentro...! ¡Hasta el fondo...! ¡Húndela...! ¡Más, más rápido! ¡Eso, eso es! ¡Basta! ¡Basta...! ¡Estoy muerta...!

Pero él no escuchaba. Continuó hundiendo una y otra vez su instrumento con creciente vigor y, habiéndole ella suplicado en vano un minuto de respiro, comenzó a secundarlo con renovado ardor.

Durante todo este tiempo, todos sus pensamientos se concentraban en mí; la estrechez del conducto que recorría su pene, unido al cosquilleo de los labios vaginales, le procuraba una sensación que, redoblando su vigor, imprimía a su instrumento violentas sacudidas, traspasando por entero la delicada criatura que tenía debajo de sí. Finalmente, las puertas de los conductos seminales se abrieron y el chorro penetró hasta las últimas profundidades.

¡Es un momento de delicia indecible e incomparable! Los músculos vaginales, contraídos, lo estrechaban, lo succionaban, lo vaciaban. Luego, y en medio de una convulsión espasmódica, cayeron una al lado del otro, inertes y estrechamente enlazados.

Mi interlocutor intervino, asegurando:

—¡Supongo que terminó definitivamente esa relación!

—No del todo, porque nueve meses más tarde la condesa trajo al mundo un magnífico niño.

—Que naturalmente, se parecía a su padre. ¿Acaso no se parecen los niños siempre a su padre?

—No en este caso. Éste resultó que no se parecía a su padre ni a Teleny.

—¿A quién diablos se parecía entonces?

—¡A mí...!

—¡A usted! ¡Vaya una broma...!

—Broma, si usted quiere, pero algo admirable, y, según me han dicho, el viejo raquítico del conde está muy orgulloso de su hijo, porque ha descubierto un cierto parecido entre su único heredero y el retrato de uno de sus antepasados. Cosa ésta, que no deja nunca de señalar a sus visitantes como detalle de herencia; y, cuando lleno de orgullo, comienza a extenderse respecto a esto, la condesa se encoge de hombros y frunce desdeñosamente los labios, mostrando su poco convencimiento. Supongo que al oír a su esposo las semejanzas que encuentra, le vienen a su mente los recuerdos de unos de los episodios más interesantes y gozones de su vida.

5

—¡Hum...! Tengo que reconocer que es una bonita e interesante historia.

Después de esta afirmación, mi oyente quedó en silencio. Pasados unos instantes, dijo:

—No me ha dicho usted cuándo y cómo volvió a encontrarse con Teleny.

—Un poco de paciencia y llegará a saberlo todo.

Comprenderá usted que, después de haber visto a la condesa abandonar su casa de madrugada, llevando marcadas en su rostro las huellas de sus emociones más voluptuosas, yo debía tener prisa por librarme de mi pasión criminal por René.

Durante algún tiempo llegué a persuadirme de que aquel hombre no significaba nada para mí. Pero, sin embargo, cuando ya creía que mi amor por él estaba totalmente extinguido, no tenía más que mirarme, para que yo sintiera a este amor que me oprimía más que nunca. Se había apoderado por completo de mi corazón y estaba quitándome la razón.

No tenía ya reposo, ni de día ni de noche.

Tomé la resolución formal de no ver más a Teleny, y no asistir tampoco a sus conciertos; pero las resoluciones de los enamorados son como lluvia de abril, y en el último minuto, bajo el menor pretexto, acababa cambiando siempre de opinión.

Ardía, además, por saber si la condesa o cualquier otra persona seguía compartiendo sus noches. Pero no, el conde, que estaba ausente, volvió inesperadamente de su viaje y partió de nuevo para Niza, llevándose con él a su mujer.

De todas maneras, yo seguía espiando a Teleny y, poco tiempo después, lo vi salir con Bryancourt.

Esto no tenía nada de anormal. Caminaban del brazo hacia la casa del artista.

Yo los seguía de lejos. Y, si celoso había estado de la condesa, ahora lo estaba mucho más de Bryancourt. Si Teleny, me solía decir, pasa cada noche con un amante distinto, ¿por qué me aseguró que su corazón suspiraba solamente por mí?

En el fondo de mi corazón, yo estaba seguro de que era a mí a quien amaba, y de que sus otros amores no eran más que caprichos. Lo que sentía por todos los demás eran solamente satisfacciones de los sentidos. Sin embargo, lo que sentía hacia mí era verdadero amor; amor profundo y duradero.

Llegados a la puerta de Teleny, ambos amigos se pusieron a charlar, sin entrar a la casa.

La calle estaba desierta. Sólo algunos paseantes retrasados se apuraban por llegar a sus casas. Escondido en la esquina de la calle, no perdí ni uno solo de los movimientos de los dos conversadores.

Por un momento, llegué a creer que se separarían sin más porque veía a Bryancourt tender la mano y tomar la de Teleny. Me sentía feliz. Después de todo, pensé, he juzgado mal a Bryancourt; ¿por qué imaginarse que todos los hombres y todas las mujeres habrían de enamorarse de ese pianista?

Pero mi alegría duró muy poco. La escena que siguió a continuación, acabó de trastornarme: Bryancourt atrajo hacia sí a Teleny y sus labios se unieron en un largo beso, un beso que a mí me supo a hiel. Luego, tras breve intercambio de palabras, la puerta se abrió y ambos desaparecieron tras ella.

Lágrimas de rabia, angustia y despecho empezaron a

saltarme de los ojos. Los dientes me rechinaban y me mordí los labios hasta hacerme sangre; luego, me arrojé como un loco sobre la puerta cerrada y comencé a dar puñetazos en ella. Se oyeron pasos y yo huí. Deambulé por las calles hasta la madrugada; luego, azorado, física y moralmente herido, volví a casa.

Al día siguiente, volví a tomar la firme resolución de no volver jamás a los conciertos de Teleny; de no seguirlo nunca más, de olvidarlo. Hubiera llegado incluso a abandonar la ciudad, si no hubiera encontrado un medio de librarme de este trágico amor.

Nuestra camarera acababa de casarse y mi madre, antes de marcharse a tomar las aguas, había tomado a su servicio, por razones que sólo ella conocía, una muchacha de pueblo de aproximadamente unos dieciséis años, pero que parecía aún mucho más joven: hecho bastante raro, puesto que las muchachas del campo siempre representan más edad de la que tienen. Yo no la encontraba hermosa, pero todo el mundo parecía quedar atrapado por sus encantos. Era cierto que esta fresca flor de los campos no tenía ni el más mínimo asomo de rusticidad, ni grosería. Era, por el contrario, viva como un gorrión y graciosa como un gatito; añada usted a esto el frescor de la hija del campo, y yo diría, la acidez atrayente de un fruto verde, de una fresa o una frambuesa nacidas entre el musgo, y tendrá su perfecta descripción.

Como era de origen pueblerino, cualquiera podía pensar en ella vistiendo ropas demasiado llamativas, con un pañuelo rojo sobre los hombros o la cabeza, y con la gracia salvaje de una joven gacela, dispuesta a saltar al más mínimo ruido.

Tenía la ligera flexibilidad de un muchacho y se la habría confundido con uno de ellos de no ser por los senos muy firmes y redondos que podían adivinarse debajo del corpiño.

Aunque sabía que ni uno solo de sus movimientos pasaba inadvertido para quienes la observaban, parecía no darse cuenta de la admiración que causaba y se mostraba ofendida cuando alguien se lo demostraba de palabra o por gestos.

Pobre de quien se atreviera a declararle francamente sus sentimientos; no tardaba ella en hacerle sentir que, junto con el frescor y la belleza de las rosas nacidas entre el musgo, tenía también sus espinas.

De todas las personas que conocía, yo era la única que jamás le había prestado la más mínima atención. Al igual que el resto de las mujeres, su figura y su cara me dejaban indiferente. Sin embargo yo era el único hacia el que ella mostraba cierta inclinación. Su gracia felina, sus maneras provocativas, que le daban la apariencia de un Ganímedes [*], acabaron por complacerme, y aunque no sentía por ella ni amor, ni la más ligera inclinación, pensé que, a través de ella, podría aprender a amar y a olvidar al otro. Y si realmente hubiera podido experimentar un poco de amor por ella, creo que hubiera llegado incluso a desposarla, antes que convertirme en un sodomita y atarme a un ser infiel a quien tan poco le importaba.

[*] *Ganímedes: en la mitología griega, fue un hermoso príncipe troyano, héroe divino y que se convirtió en amante de Zeus.*

—¿Acaso no podría yo, solía pensar, experimentar un poco de placer con esta muchacha, lo bastante como para calmar mis excitados sentidos y adormecer mi cerebro enloquecido de voluptuosidad?

Y, sin embargo, ¿qué crimen era mayor: seducir a una pobre niña y perderla para siempre, haciéndola tal vez madre de un pequeño desgraciado, o ceder a la pasión que torturaba mi cuerpo y espíritu?

Nuestra «honorable sociedad» considera lo primero como un simple pecado, mientras tiembla de horror ante lo segundo; y, estando como está nuestra honorable sociedad compuesta de hombres intachables, sin duda estos hombres virtuosos y honorables deben tener toda la razón.

¿Qué razones particulares los hacen pensar de este modo...? Reconozco que eso es algo que todavía no he podido saber.

En mi estado de sobreexcitación, la vida se hacía intolerable, y yo no podía soportarla ya por más tiempo. Una mañana de aquellas, volví a casa fatigado, vapuleado por una noche sin sueño, y con la sangre abrasándome por los nervios y el alcohol que había ingerido. Nada más llegar a mi habitación, tomé un baño frío. Luego me vestí de nuevo y llamé a la muchacha a mi habitación.

Viendo mi aire atribulado, la palidez de mi cara y mis ojos rodeados de grandes ojeras, ella me preguntó:

—¿Está usted enfermo, señor?

—Sí, no me encuentro bien.

—¿Dónde ha pasado usted la noche?

—¿Dónde...? —Repetí yo.

—Sí, usted no volvió ayer por la noche.

Una risa nerviosa fue mi única respuesta. Tenía la certidumbre de que una naturaleza como la suya tenía que ser dominada de un solo golpe, más que asediada gradualmente. Me acerqué rápidamente a ella, la tomé en mis brazos y la besé en la boca. Ella intentó escaparse, pero lo hizo más como un pájaro sin defensa que bate las alas que como un gato que enseña las uñas.

Se enroscaba, apoyando sus senos contra mi pecho, sus piernas contra las mías; y yo la apretaba cada vez más, apoyando mis labios de fuego sobre los suyos, y respirando su aliento suave y fresco.

Eran aquellos los primeros besos que recibía en la boca, cosa que me confesó más tarde, y la sensación que le produjeron la sacudió como una descarga eléctrica.

La cabeza le daba vueltas, sus ojos se le nublaban de debilidad, pero, cuando quise introducir mi lengua entre sus dientes, su pudor se rebeló, y empezó a resistirse y a negarse a consentir tal cosa. Me dijo que le parecía como si le introdujeran un trozo de hierro ardiendo en la boca, y creía estar cometiendo un crimen abominable.

—¡No...! ¡No...! —Gritaba en tono sofocado—. ¡Déjeme!

Me esta usted ahogando. Me mata. ¡Déjeme...! No puedo respirar. ¡Déjeme o pido auxilio!

Yo hice oídos sordos a estas quejas y pronto mi lengua entera penetró en su boca. La tomé entonces entre mis brazos, ligera como una pluma, y la tendí en la cama. El pajarito que agitaba las alas dejó de ser una tórtola indefensa, para convertirse en un verdadero halcón, que lanzaba picotazos al aire, debatiéndose con todas sus fuerza, arañándome, mordiéndome, amenazándome con arrancarme los ojos, cubriéndome de puñetazos.

Nada excita tanto al placer como la batalla. Una corta lucha acompañada de sonoros golpes y algunos cachetes ponen a cualquier hombre en erección, del mismo modo que, más que ningún otro afrodisíaco, lo que mejor actúa sobre algo marchito o dormido, son unos buenos azotes.

La lucha produjo su efecto tanto en ella como sobre mí; pero, tan pronto la hube colocado de espaldas sobre el lecho, cuando, dejándose caer sobre el suelo, se me escapó de las manos como una anguila, y de un salto de cabra llegó hasta la puerta. Yo, sin embargo, había tenido la precaución de dejarla cerrada con llave.

La lucha dio de nuevo comienzo. Era preciso que fuera mía. Si tal como pensé por unos cortos instantes, hubiese cedido en ese momento por cobardía, sin duda la habría dejado marchar; pero reconozco que la resistencia la hacía mucho más deseable.

Mis brazos la estrecharon; nuestros cuerpos quedaron estrechamente apretados, ella se retorcía y suspiraba. Yo introduje una de mis piernas entre las suyas, sus senos palpitaban bajo mi pecho, y ella no cesaba de propinarme fuertes golpes, cada uno de los cuales atizaba mucho más mi fuego devorador.

Me había quitado ya la chaqueta. Los botones de mi chaleco y de mi camisa estaban desabrochados, el cuello de la camisa desgarrado, y ésta hecha pedazos, mientras mis brazos sangraban por varias partes. En cuanto a ella, sus ojos despedían llamas, como los de un lince, y sus labios expresaban su sensualidad y lascivia; parecía ahora luchar, no para defender su virginidad, sino por el placer de luchar.

Mientras oprimía mis labios contra los suyos, sentí su cuerpo temblar, y una vez, la punta de su lengua penetró ligeramente en mi boca, mostrándose con esto tan llena de placer como una ménade en su iniciación.

Yo la deseaba y, sin embargo, tengo que reconocer, que experimentaba la tristeza de tener que sacrificarla en el altar de Venus. Tomándola entre mis brazos, la transporté de nuevo hacia el lecho.

¡Qué hermosa me pareció entonces! Los bucles de sus cabellos, desatados durante la lucha, se derramaban sobre la almohada. Sus ojos vivos y negros, rodeados de cortas pero espesas pestañas, brillaban con un fuego casi fosforescente, su cara estaba llena de manchas de mi sangre, y sus labios temblorosos y sensuales, hubieran hecho vibrar con vida nueva el pene flácido de cualquier maduro caballero.

Yo la mantuve durante un momento debajo de mí, limitándome a admirarla. La fijeza de mis miradas la molestó, la irritó, e intentó escapar de nuevo.

Los corchetes y broches de su vestido habían saltado casi todos, y a través de las desgarraduras podía yo ver su carne deliciosa, con un color dorado por los días de cosecha pasados bajo el sol ardiente, y una parte de sus redondos senos, y usted sabe bien que las cosas que se ven de manera furtiva y velada son mucho más excitantes que las fría exhibiciones de carnes de los bailes, los teatros y los burdeles.

Acabé de desgarrar todos los obstáculos. Con una mano empecé a registrarle su pecho, intentando deslizar la otra por debajo de su vestido; pero sus enaguas estaban tan estrechamente apelmazadas entre sus piernas, y éstas, tan fuertemente cerradas, que no había modo de llegar al objetivo.

Después de un buen número de gritos ahogados,

parecidos a los de un pájaro, después de muchos esfuerzos y muchos desgarrones, de muchas mordeduras y muchos arañazos, mi mano alcanzó por fin a tocar sus rodillas y pudo ascender por sus piernas.

A pesar de su apariencia frágil, sus carnes tenían la firmeza y la redondez de las de un acróbata. Instantes después, había logrado llegar a la entrepierna, y posar mis ansiosos y calenturientos dedos sobre el bosque de pelusa que corona el monte de Venus.

Empecé a frotar la parte superior de la hendidura; ella me pidió que parase. Por fin, los labios se abrieron. Yo intenté introducir el dedo.

—¡Tenga cuidado...! Me está haciendo daño; me está arañando ahí —gritó ella.

Finalmente sus piernas perdieron toda rigidez, y pude levantarle las faldas. Ella protestó, y empezó a llorar. Eran lágrimas de miedo, de vergüenza, de despecho.

Retiré entonces el dedo, y al hacerlo, me di cuenta de que se hallaba también mojado por las lágrimas, pero unas que nada tenían de amargas.

Tomando su cabeza entre mis manos y cubriendo su cara de apasionados besos, le susurré:

—¡Vamos...! ¡No te preocupes! ¡No tengas miedo! Lo hacía solamente para jugar. No tengo intención de hacerte daño. ¡Hala...! ¡Levántate...! Puedes irte si quieres. No te retendré más contra tu voluntad.

Y, diciendo esto, le pellizqué sus pequeños pezones, no más grandes que una fresa salvaje y con un olor parecido al de ésta, y ella se agitó debajo de mí, exhalando un suspiro.

—¡No...! ¡No...! —Dijo—. No me iré. Estoy en su poder. Haga de mí lo que quiera. No me defenderé más. Sólo recuerde que, si me pierde, me mataré.

Había en sus ojos una tal determinación al proferir esta amenaza, que sentí miedo y decidí dejarla marchar. Pensé, ¿cómo podría perdonarme nunca a mi mismo haber sido el causante de su suicidio?

Y, sin embargo, la pobre niña me miraba con sus ojos tan llenos de amor, que era evidente que el fuego de su cuerpo la consumía. ¿No era quizás mi último deber apagar este fuego, y hacerle conocer el éxtasis que sus sentidos deseaban?

—Te juro —le dije— que no te haré ningún daño; no te asustes, sólo quédate tranquila.

Levanté su camisa de tela basta y pude ver entonces la hendidura más pequeña que jamás se haya visto, y dos labios de coral sombreados por un bosquecillo negro, sedoso y suave. Los labios tenía el frescor de esas conchas de color rosado que abundan en las playas de los mares de Oriente.

Los encantos de Leda [*] que empujaron a Júpiter a convertirse en Cisne, o los de Dánae, cuando abrió sus piernas para recibir la ardiente lluvia de oro del dios olímpico, no pueden haber sido más tentadores que los labios de esta pequeña campesina.

[*] *Leda: en la mitología griega, fue hija de Testio, esposa del rey Tindáreo de Esparta y fue seducida por Zeus.*

Al entreabrirse, descubrían una pequeña hendidura, fresca y llena de salud, gota de rocío coloreada de rojo al posarse sobre el capullo de rosa. Mi lengua la oprimió durante unos segundos, y la muchacha quedó transportada por un placer que jamás había sentido. Pocos momentos después nos hallábamos uno en brazos del otro.

—¡Oh, Camille...! —Murmuraba sensualmente ella—. ¡No sabe cuánto lo amo!

Esperaba sin duda una respuesta mía, pero yo, en lugar de esto, cerré sus labios con un beso.

—¡Respóndame...! —Volvió a decir—. ¿Me ama usted? ¿Piensa usted amarme un poco...? ¿Aunque sea un poco solamente?

—Sí —respondí yo, débilmente, ya que ni siquiera en tales cosas soy capaz de mentir.

Ella me miró durante uno o dos segundos.

—¡No...! Usted no me ama.

—¿Por qué no...?

—No lo sé. Siento que no le importo más de lo que le importa una brizna de paja. ¿Es así o no?

—Si así lo crees, ¿cómo puedo convencerte de lo contrario?

—No le pido que se case conmigo, ni quiero ser tampoco la entretenida de nadie, pero si usted me amara sólo un poco...

No llegó a acabar la frase.

—¿Entonces...?

—¿No comprende usted...? —Dijo ella, escondiendo su cara detrás de mi oreja y apretándose contra mí.

—No.

—Pues bien, si usted me quiere, aunque sea un poco solo, soy suya ahora mismo.

¿Qué debía yo hacer?

Me repugnaba tomar a una muchacha que se me ofrecía así, sin condiciones, y, sin embargo, ¿no hubiera sido una tontería dejarla marchar sin dar satisfacción a su ardiente deseo y al mío?

Mi interlocutor, dijo:

—Y, sobre todo, sabiendo que su amenaza de suicidio no tenía el más mínimo sentido.

—No tanto como usted piensa.

—Bien; estoy muy impaciente. Termine el capítulo. Al final, ¿qué es lo que usted hizo?

—¿Yo...? Detenerme a mitad de camino.

Continuando con mis ardorosos besos, la acosté sobre su espalda; separé sus pequeños labios y apoyé en ellos la punta de mi pene. Éstos fueron abriéndose poco a poco, entrando primero la mitad de mi glande, y luego la cabeza entera.

Yo empujé suavemente, pero me sentía retenido por todas partes, sobre todo en el interior, donde encontraba un serio obstáculo. Era como cuando, al ir a clavar un clavo, la punta tropieza con una piedra; es totalmente inútil martillear en tales casos, el clavo se tuerce y acaba rompiéndose; del mismo modo, al hacer mayor fuerza, la punta de mi instrumento se aplanaba, se estrangulaba. Tuve que hacer un serio esfuerzo para salir del callejón donde me encontraba.

Ella gemía de dolor, experimentando sin ninguna duda, más suplicio que placer.

Saqué todo mi aparato y lo intenté de nuevo; pero mi ariete golpeaba en vano la puerta de la fortaleza. Me preguntaba si no sería mejor empujar bruscamente y forzar la entrada con un asalto vigoroso, pero me encontraba exhausto y mi fluido vital acabó por derramarse. La pobre no había llegado a sentir nada, o, en todo caso, muy poco, mientras yo, agotado por mi vagar nocturno, y enervado por el esfuerzo, caía tendido, inerte, a su lado. Durante unos segundos me miró estupefacta y sorprendida, luego, de repente, saltando fuera de la cama con un movimiento felino, se apoderó de la llave que colgaba de mi pantalón, y de un salto se marchó fuera de la habitación.

Demasiado débil para poder seguirla, pocos instantes después, caí en un sueño profundo, el mejor reposo de que hubiera gozado desde hacía tiempo.

Durante unos días gocé de una suave calma, alejado de los conciertos y de todos aquellos lugares donde hubiera podido encontrar a René. Estaba empezando a pensar que, con el paso del tiempo, lo único que sentiría por él, sería una completa indiferencia.

Pero era demasiado presumir. Mis esfuerzos por intentar borrarlo de mi pensamiento me impedían lograrlo. Temía tanto no poder lograrlo, que este mismo miedo me lo recordaba constantemente. En cuanto a la muchacha, creo que sentía por mí casi exactamente lo mismo que yo sentía por Teleny. Me evitaba todo el tiempo, encerrándose en el círculo de sus trabajos obligatorios, intentando incluso odiarme; despreciarme, pero sin conseguir lograrlo.

—¿Odiarlo, por qué?

—Creía sin duda que si yo había conservado su virginidad era simplemente porque no tenía el más mínimo interés por ella, y que con el placer que de ella había obtenido me bastaba.

Si la hubiera desflorado y amado, me hubiera adorado a causa de la herida que le habría causado.

Pasado un tiempo, cuando un día le pregunté si no me estaba agradecida por haber conservado su virginidad, me respondió simplemente: «No», y era un «no» tajante, y enfadado.

Pero luego continuó diciendo:

—Por lo demás, usted no hizo nada, porque no podía hacerlo.

—¿Cómo que no podía...?

—No.

Y acompañó este «no» de una sonora bofetada. De nuevo la estreché entre mis brazos; luchamos como dos campeones de feria, con tanto ardor, aunque con menos habilidad. Era una pequeña masa de nervios totalmente sólidos y musculados, pero pronto comprendió de qué lado estaría la victoria.

Experimenté un verdadero placer al sentir su cuerpo palpitar contra el mío, y aunque ella no quería otra cosa que ceder, tuve que trabajar mucho para poder pegar mi boca a la suya. También conseguí arrojarla sobre el lecho e introducir mi cabeza bajo sus faldas. Las mujeres son unas criaturas bastante extrañas, saturadas de prejuicios absurdos; y esta pequeña rústica, apegada a la naturaleza, consideraba aquel homenaje a sus órganos sexuales como una cosa repugnante.

Me llamó cerdo, bestia puerca y otros agradables epítetos. Se retorció, se enroscó intentando escapar a mis brazos, no consiguiendo sino aumentar el placer que yo le procuraba. Finalmente, vencida por el goce, ayudó a hundir más mi cabeza entre sus piernas, apretándome la nuca con sus dos manos con semejante violencia que sólo con grandes esfuerzos fui capaz de retirar mi lengua de su ardiente vagina.

Permanecí allí, penetrando, succionando, lamiendo aquel pequeño clítoris, hasta que éste pidiera clemencia, probándole así que no era éste un placer para rechazarlo; sabía por experiencia que éste era el mejor argumento para convencer a una mujer.

Cuando todas la partes internas quedaron bien lubricadas, ayudadas por mi lengua y humedecidas por la acariciadora marea que las inundaba a cada oleada de placer, cuando hubo gustado el placer que cualquier virgen puede procurar a otra sin romper el sello que da fe de su inocencia, la visión de su alborozo, hizo levantar la cabeza de mi instrumento; lo saqué, entonces, triunfante de su desagradable prisión para introducirlo en el antro de la alegría.

Pero de nuevo se vio interrumpido en su avance. Un vigoroso golpe de caderas acabó por procurarme más dolor que placer; la resistencia era tan fuerte que mi ariete quedó casi averiado en la acción; las paredes cerradas y firmes acabaron por fin de dilatarse, y mi pistón se encontró de pronto como atrapado en el interior de un conducto muy estrecho, sin poder, sin embargo, perforar el himen.

¿Por qué razón la naturaleza ha cerrado tan locamente la ruta del placer? ¿Sólo para hacer creer al vanidoso esposo que es él el pionero de estas regiones inexploradas? ¿Ignora quizás éste que las mujeres sabias muestran gran habilidad a la hora de reparar las cerraduras forzadas? ¿O acaso sirve solamente para hacerlo objeto de un rito religioso y dar a algún padre confesor el placer de recoger esta flor, placer que por mucho tiempo fue patrimonio de la sacerdotisa?

La pobre muchacha sintió como una cuchillada; sin embargo no lanzó ni un grito, ni un lamento, a pesar de que vi que se le llenaban sus ojos de lágrimas.

Un nuevo esfuerzo de caderas, un nuevo embate más, y el velo del templo quedó desgarrado.

Pero yo me detuve a tiempo.

—¿Puedo seguir...?

—Usted me ha convertido en una muchacha viciosa y perdida para siempre —repuso ella con tranquilidad.

—No del todo, aún sigues siendo virgen. Sí; virgen, y todo porque no soy un vulgar canalla. Dime ahora mismo, si puedo poseerte por completo o no.

—Si me ama, tómeme; pero, si solamente quiere tener un momento de placer, prefiero que no lo haga. Bueno... Después de todo, haga lo que quiera, pero le juro que me mataré si usted me abandona.

—Ésas son cosas que siempre se dicen, pero nunca se hacen.

—Siempre cumplo lo que digo.

Saqué rápidamente mi pene del pasaje, pero antes de dejarla levantarse, la cosquilleé suavemente con la punta durante un momento, intentando con este placer suplementario compensarla del daño que acababa de hacerle.

—¿Puedo poseerte o no? —Repetí.

Ella, inesperadamente, se levantó y escapándose de mis brazos, corrió hacia la puerta, diciendo:

—¡Imbécil...!

—¿Qué dices...? Espera a la próxima oportunidad, y ya verás quién es el imbécil —le grité; pero ella estaba ya demasiado lejos para poder oírme.

—Hay que reconocer que se comportó usted de una manera un poco tonta. ¿Puedo al menos tomar la revancha en la siguiente ocasión?

—Mi revancha, si así puede llamarse, fue terrible.

Teníamos a nuestro servicio como cochero a un joven de buena presencia, extraño y vigoroso, cuya ternura de corazón había estado hasta entonces orientada hacia los caballos. Se enamoró, sin embargo, perdidamente de esta hermosa muchacha, tan áspera para él como una rama de acebo.

Había intentado demostrárselo honestamente, de todas las maneras posibles. Combinadas su pasión y su perseverancia, había llegado incluso a dulcificar en él todo lo que tenía de rústico y brutal. Le ofrecía flores, cintas, ramilletes, pero ella rechazaba con mucho desdén todos sus regalos.

Le ofreció incluso casarse con ella de inmediato, llegando hasta a ofrecerle una cabaña y un pedazo de tierra que tenía en su comarca natal.

Sus propuestas recibieron, una tras otra, un rechazo formal por parte de la muchacha, que lo humillaba y lo despreciaba, considerando su amor como un insulto. En los ojos del hombre podía leerse una pasión irresistible, mientras los de ella vagaban por el vacío.

Exasperado por su indiferencia, había intentado tomar por la fuerza lo que por amor le era imposible conseguir; pero ella le había hecho comprender que el bello sexo no siempre es el sexo débil.

Tras esta tentativa violenta, ella comenzó a excitarlo a propósito. Cada vez que se cruzaba con él, la muchacha se mordía el dedo pulgar ante su cara, haciéndolo restallar con un gesto de burla.

La cocinera, que sentía por el fuerte y nervudo mancebo una secreta ternura, y se había dado cuenta de que algo había ocurrido entre la doncella y yo, informó al cochero del asunto, lo que provocó en él un acceso de cólera y de celos.

Completamente herido, y sin saber ya si le importaba más el odio o el amor, y no pensando tampoco lo que pudiera ocurrirle, quiso satisfacer a cualquier precio su pasión. La ternura amorosa dio paso en su corazón a la rabia sexual del macho.

A escondidas, y guiado probablemente siempre por la cocinera, se introdujo una noche en la alcoba de la muchacha, escondiéndose allí entre el biombo y un viejo mueble que había en su interior.

Su intención era permanecer oculto hasta que ella

se quedara dormida, deslizándose luego en su lecho, para permanecer allí el resto de la noche, por las buenas o por las malas.

Tras un tiempo de espera y ansiedad inaguantables, porque cada minuto que pasaba le parecía una hora, vio por fin entrar a la dueña de la alcoba, que cuidadosamente cerró la puerta y pasó el pestillo.

¡Qué inmensa alegría sintió! No esperaba a nadie. Estaba por completo a su merced.

Con ayuda de dos agujeros que había abierto en el biombo, pudo observar todo lo que la muchacha hizo antes de acostarse. Lentamente, se quitó la cofia, ató sus cabellos en un grueso moño, se quitó el vestido, el corsé, las enaguas y los calzones. Se puso a continuación el camisón y una cofia de dormir, y comenzó a hacer sus oraciones de rodillas.

La luna llena inundaba la habitación con su luz pálida, acariciando con sus rayos los brazos desnudos de la muchacha, sus hombros redondos, sus pequeños senos puntiagudos, y envolviéndola en una aureola pálida que le proporcionaba el delicado lustre y la suavidad del ámbar. El resto de su cuerpo se perdía entre los amplios pliegues del camisón.

Inmóvil, y casi aterrorizado de su propia audacia, contemplaba el cochero estos detalles, reteniendo con grandes esfuerzos la respiración anhelante, hasta casi ahogarse, y atravesando con la vista cuanto veía por las mirillas del biombo, con todas sus facultades concentradas en el sentido de la vista.

Terminadas sus oraciones, la joven hizo la señal de la cruz y se levantó. Al subir a la cama, un poco alta, mostró al cochero la graciosa finura de sus muslos, sus pequeñas nalgas redondeadas, y, al ir a inclinarse hacia delante, antes de darse la vuelta, aquél pudo ver por un instante la sinuosa junta de los muslos.

El cochero, a la vista de esto, no se paró ya en más detalles. De un salto felino se arrojó sobre ella.

Y antes de que ella hubiera logrado lanzar un grito, él ya la había tomado entre sus brazos.

—¡Déjame, déjame! —Gritó—. Voy a pedir socorro.

—Grita cuanto quieras, preciosa, que nadie vendrá a ayudarte antes de que yo te posea, porque juro por la Virgen Santísima que no saldré de aquí hasta que no te haya disfrutado. Y ya que ese maricón te usa para darse gusto, lo voy a hacer yo también. Después de todo, más te hubiera valido ser la mujer de un pobre honrado que la puta de un rico. Y tú bien sabes que te he ofrecido en serio ser mi esposa.

Y, mientras decía esto, la aferraba con una mano, con la fuerza de un cepo, intentando con la otra hacerle volver la cabeza para besarla en la boca; al no conseguirlo, la colocó debajo de sí, y, sujetándole la nuca, comenzó a palparle entre las piernas. Empuñó su pubis con su ruda y fuerte mano, se introdujo entre sus piernas separadas y empujó con fuerza su instrumento entre los labios apenas entreabiertos.

A pesar de su hinchazón, después de mis dos tentativas, el enorme pene del cochero logró deslizarse en su interior, consiguiendo alojar su cabeza en el primer tramo de la vagina, donde, como un pesado tamiz sacudido por el viento, desparramó su semen, apenas hubo tocado el clítoris, inundando a la muchacha por completo. Vientre y muslos quedaron cubiertos de este cálido riego, a cuyo contacto la joven tembló y se retorció, como alcanzada por un líquido corrosivo.

Cuanto ella más se resistía, mayor era el placer del bruto, que expresaba su éxtasis con sus roncos suspiros, y no perdía vigor ni dureza, cada vez más excitado por las contorsiones de su víctima. Metiendo entonces su enorme mano entre las piernas de ésta, la levantó sobre el lecho, dejándole las piernas en el aire.

Apretó luego su glande carnoso contra los labios recién bañados por su semen, y éstos, lubricados por la inundación viscosa, se abrieron sin apenas esfuerzo. En ningún momento se le pasó a él por la cabeza darle a su presa el más mínimo placer. Solamente sentía la furia salvaje y brutal del macho que toma posesión de la hembra, y que antes se hubiera dejado matar que soltarla. Se apoyó contra ella con la pesadez de un toro, y, con un golpe de cadera, hizo avanzar el glande hacia el interior de la vagina, hasta topar con la membrana vaginal, que aún se hallaba intacta, por más que dilatada. Al sentir aquel obstáculo, el cochero experimentó un momento de loca alegría.

—¡Eres mía! —Dijo, cubriéndola de ardientes besos—. ¡Mía para siempre, y hasta la muerte...! Sí... ¡Mía para siempre!

Supongo que ella comparó en ese momento su salvaje alegría con la fría indiferencia que yo le había mostrado, y sin embargo sintió ganas de gritar. Él le cerró la boca con la mano. Ella se la mordió, pero él no se dio por enterado, y sin preocuparse por el daño que le hacía y que aún habría de hacerle, la apretó con todas sus fuerzas, y con una violenta sacudida, superior a todas las anteriores, le atravesó la membrana, hundiendo su columna hasta lo más profundo de la vagina, hasta hacerla desaparecer entera.

Ella exhaló un grito agudo, penetrante. Era un grito de dolor y de angustia, que vibrando en el silencio de la noche, pudo escucharse en toda la casa. Sin preocuparse por las consecuencias de su acto, ni por los ruidos que empezaban a escucharse en las habitaciones vecinas, e indiferente, asimismo, a la sangre que empezaba a correr por los labios vaginales de la muchacha, hundía una y otra vez, ebrio de éxtasis, su lanza, hasta el fondo de la herida que acababa de abrir, mezclando sus gruñidos de placer con los lamentos de su víctima

Cuando hubo terminado, extrajo de la vaina donde había estado alojada su arma que ya se encontraba débil. La joven había quedado al fin libre, pero quedó tendida en la cama sin conocimiento.

Yo entraba precisamente en mi casa en el momento mismo de escucharse el grito, y aunque no había estado pensando en la pobre muchacha, reconocí de inmediato su voz. Subí a grandes zancadas las escaleras y llegué hasta el último piso, donde me encontré con la cocinera pálida y temblorosa en el pasillo.

—¿Dónde está Catherine?

—Creo que en su habitación.

—¿De quién era ese grito?

—Yo... Yo... No podría decirle. Tal vez de ella.

—¿Y por qué no ha ido usted en su ayuda?

—He ido pero la puerta está cerrada por dentro. No he podido hacer nada —respondió ella asustada.

Me arrojé corriendo sobre la puerta, y la sacudí con todas mis fuerzas.

—¡Catherine, abre! ¿Qué ocurre? ¿Qué ha pasado?

Al oír mi voz, ella volvió a la vida.

Dando un violento empujón, conseguí hacer saltar la cerradura, y la puerta se abrió.

Me faltó tiempo para ver a Catherine con el camisón desgarrado y cubierta de sangre.

Había logrado ponerse en pie. Desmelenada, con los ojos despidiendo un extraño fuego y la cara contraída por el dolor, la vergüenza y la locura, era la imagen viva de Casandra [*] después de ser violada por los soldados de Áyax [*].

[*] *Casandra: en la mitología griega era hija de Hécuba y Príamo, reyes de Troya y sacerdotisa de Apolo.*

[*] *Áyax el grande: hijo de Telamón rey de Salamina, y Peribea, es un héroe de la mitología griega.*

De pie ante la ventana, sus miradas iban y venían de su cama a mi cara, con una expresión de repugnancia y total desprecio.

¡Ahora ya sabía lo que eran los hombres y lo que valía su amor!

Con un movimiento brusco, corrió hacia la ventana y la

abrió. Yo me arrojé a sujetarla, pero más rápida que yo, y sin que diera tiempo a nadie de impedírselo, saltó al vacío. Yo logré atrapar una punta de su camisón, que se desgarró por el peso, no quedando en mi mano sino un jirón de tela.

Se oyó luego un ruido sordo, un grito, unos leves gemidos, y después nada más que el silencio.

La pobre muchacha había mantenido su palabra.

No podía creer lo que había pasado.

En parte me sentía culpable por lo sucedido.

Quizás debía de haber vigilado al cochero que en los últimos días había demostrando que estaba poseído por el odio de verse rechazado de manera tan cruel.

Durante los siguientes días, el horrible e inesperado suicidio de la pobre Catherine absorbió por completo mis pensamientos, provocando en mí una considerable suma de preocupaciones y molestias.

Después, la confesión que me hizo el cochero de todos los detalles de lo ocurrido me llenaba de horror, y me reafirmaba en mis primeros pensamientos de que tenía una parte de responsabilidad en este acto de desesperación. Por este motivo, hice, todo lo posible para que la encuesta del fiscal no llegara a acusar al principal culpable.

Por otro lado, si bien yo no había llegado a enamorarme de aquella muchacha, había al menos hecho todo lo posible por estarlo, y su muerte me inquietaba.

Estoy seguro de que mis negocios se hubieran perjudicado de mi estado de ánimo, de no ser por mi principal empleado, que era en realidad mucho más patrón mío que yo suyo, y que viendo el deterioro que padecían mis nervios, me persuadió de que realizara una corta gira de negocios por el extranjero, que de no efectuarla yo, tendría que hacerlo él.

Toda esta aglomeración de circunstancias consiguió apartar mis pensamientos de Teleny, que hasta entonces los había acaparado completamente. Creía que con este último y triste suceso, había conseguido olvidarle por completo y me felicitaba por haber logrado dominar una pasión que me estaba haciendo sentirme como un desgraciado pero también como un miserable ante mis propios ojos.

A mi vuelta, no solamente rehuía su presencia, sino que evitaba incluso leer cuanto en los periódicos hacía referencia a él, y cuando veía su nombre colocado en algún cartel, apartaba la vista, a pesar de la atracción que su nombre ejercía en mí. Hasta esto punto temía yo caer de nuevo bajo su diabólica influencia. Pero me preguntaba si sería capaz de evitarlo para siempre. ¿Es que no sabía que el más insignificante acontecimiento podía hacer que nos encontráramos de nuevo cara a cara? ¿Y que haría entonces...?

Cuando esta aprensión comenzaba a rondarme la cabeza, intentaba persuadirme de que su dominio sobre mí había concluido; y para afianzarme en esta convicción, decidí saludarlo la primera vez que volviera a encontrarlo. Por lo demás, alimentaba yo la esperanza de que pronto acabaría abandonando la ciudad, al menos momentáneamente, si no para siempre.

Pero poco después de mi vuelta, y estando yo con mi madre en un palco del teatro, de repente la puerta se abrió, y en el umbral apareció Teleny.

Al verlo un color se me fue y otro se me vino. Mis rodillas comenzaron a temblar, y mi corazón a latir con fuerza. Sentí que todos mis buenos propósitos de poco antes se esfumaban de repente. Disgustado conmigo mismo, al darme cuenta de mi debilidad, tomé rápidamente mi sombrero y, casi sin saludar al artista, me precipité como un loco fuera del palco, dejando a mi madre el cuidado de disculparse por mi extraña conducta. Pero, apenas me hallé fuera, sentí que una fuerza irresistible me empujaba a volver y pedir disculpas. De lo que sólo la vergüenza logró salvarme.

Al volver al palco, mi madre, totalmente asombrada y enfadada, me preguntó la causa de mi maleducada manera de comportarme hacia un artista de tanto talento, a quien todo el mundo saludaba y halagaba.

Con tono enfadado, me dijo:

—No te comprendo. Hace apenas dos meses, si mal no recuerdo, no había para ti pianista en el mundo que pudiera comparársele, y ahora, porque toda la prensa se ha vuelto contra él, ¿ya no te parece digno ni de un saludo...? No me gusta tu actitud.

—No te entiendo. ¿Que quieres decir cuando has dicho que la prensa está contra él? —Pregunté sorprendido.

—¡Cómo! ¿No has leído las críticas que se vienen publicando en los últimos tiempos sobre él?

—No, porque tengo bastantes más cosas que hacer que ocuparme de los pianistas.

—Pues bien, parece que últimamente no se muestra muy dentro de sus cabales. Varias veces, después de haber aparecido su nombre en los carteles, dejó de presentarse. Esto ha causado un efecto deplorable, y tanto más cuanto que, en sus últimos conciertos, ejecutó sus partituras de un modo pesado, lánguido, muy distante de la brillantez de su primer estilo.

Mientras mi madre hablaba, sentía como si una mano me oprimiera el corazón, y tuve que hacer un esfuerzo para parecer tan indiferente como pude.

—Lo siento mucho por él —dije con indiferencia y desdén—, pero supongo que las damas lo consolarán y le harán olvidarse de las críticas adversas.

Mi madre se encogió de hombros. Estaba muy lejos de poder adivinar mis pensamientos secretos y saber hasta qué punto lamentaba yo mi modo de actuar hacia aquel Adonis a quien, era ya inútil disimularlo por más tiempo y seguir mintiendo, amaba más que nunca.

Al día siguiente me procuré todos los periódicos que mencionaban su nombre, y reconocí, aunque quizás sea muy vanidoso por mi parte pensarlo, que desde el mismo día que había dejado de asistir a sus conciertos, había estado ejecutando de modo tan lamentable que los críticos, benévolos al principio, terminaron por cansarse, uniéndose contra él, para intentar conducirlo a apreciar más justamente a su público y a sí mismo.

Ocho días más tarde, aproximadamente, fui a escucharlo. Y me sorprendí al comprobar el cambio operado en él en tan poco tiempo. No solamente parecía muy preocupado y abatido, sino que se mostraba pálido, demacrado y enfermizo. En cuestión de pocas semanas, había envejecido varios años. Pude darme cuenta en él, que tenía las mismas alteraciones que mi madre había notado en mí a la vuelta de mi viaje, y que ella atribuía a mis nervios quebrantados.

Algunas personas intentaron saludar a su entrada con leves aplausos, pero un sordo murmullo de desaprobación y dos o tres silbidos cortaron de raíz esta tímida ovación. Indiferente tanto a los aplausos como a los murmullos, se sentó con un aire de profundo cansancio, como si se hallara afectado de fiebre; pero, como luego haría observar uno de los críticos presentes, pronto el fuego sagrado del arte pareció llamear en sus pupilas. Rebuscó ansiosamente entre el auditorio, me descubrió y envió hacia el sitio donde yo estaba una mirada cargada de gratitud y de amor.

Se puso entonces a tocar, no como quien intenta quitarse de encima una tarea enojosa, sino como quien arroja sobre sí el peso de su alma. Su música sonaba muy similar al trino de un pájaro que, buscando a su compañera, emite las más bellas notas de amor dispuesto a vencer o a morir.

Inútil es decir que me hallaba subyugado, mientras el auditorio entero vibraba de emoción, bajo la dulce tristeza de sus acordes.

Cuando hubo terminado la pieza, me arrojé hacia el vestíbulo esperando encontrarlo. Durante su ejecución, una lucha violenta se había desarrollado en mi interior, entre el corazón y el cerebro. Pero ¿para qué luchar contra una pasión indomable? La fría razón quedó así vencida por los instintos. Por lo demás, ¿qué tenía yo que reprocharle? ¿No estaba acaso dispuesto a perdonarle todo lo que yo había sufrido por su causa?

Al penetrar en el vestíbulo lleno de gente, no vi de inmediato a otro más que a él. Un sentimiento de gustosa plenitud me embargó en cuanto le descubrí, y mi corazón saltó de alegría. Pero pronto mi alegría dio paso a la cólera y el odio: acababa de descubrir al joven Bryancourt, colgado de su brazo y llenándolo de elogios por el éxito obtenido. Nuestras miradas se encontraron de repente, la suya llena de vanagloria, la mía cargada de un desdén insultante.

Tan pronto Teleny se dio cuenta de mi presencia, se desenganchó de Bryancourt y vino hacia mí, con las manos extendidas. Yo hice como que no me había dado cuenta de su gesto y le dirigí el saludo más frío y rígido de que fui capaz. A continuación, le volví la espalda. Oí un murmullo de asombro extenderse entre las personas presentes y, al alejarme, pude ver con el rabillo del ojo su profundo sonrojo, mientras su mirada se cargaba de una intensa expresión de orgullo herido. Se contuvo, sin embargo, y se inclinó, como diciendo:

«De acuerdo. Haz lo que te parezca», y volvió con Bryancourt, que mostraba una expresión radiante.

A continuación, Bryancourt, sonriendo muy feliz y en tono alto para que yo pudiese oírlo, dijo:

—No se preocupe más de ese individuo. No es más que un estúpido grosero. Un vulgar tendero; un vanidoso que se cree que es un personaje...

—¡No...! —Interrumpiéndole, replicó Teleny, con un tono frío y distante—. Reconozco que soy yo quien está equivocado y no él.

¡Como me había dolido lo que le hice...! ¿Podría, quizás, adivinar de qué modo sangraba mi corazón al abandonar el vestíbulo? A cada uno de mis pasos, deseaba desandar el camino, arrojarme a su cuello y pedirle públicamente perdón.

Dudé unos instantes. ¿Debía volver o no a tenderle la mano...? ¿Acaso no cedemos siempre a los impulsos de nuestro corazón? ¿No nos vemos a menudo guiados por una conciencia reticente, por un cerebro confuso, saturado de falsos cálculos?

Impaciente y nervioso, estuve esperando en la calle, acechando la salida de Teleny, resuelto, si es que iba solo, a acercarme a él y excusarme por mi insolencia.

Lo vi aparecer. Iba con Bryancourt...

Mis celos se encendieron nuevamente. Rápidamente, y con decisión giré sobre mis talones y me fui. Esta vez habíamos terminado definitivamente. No quería verlo nunca más. Al día siguiente, si fuera preciso, tomaría el primer tren para cualquier parte, hasta el fin del mundo si hacía falta.

Mi nuevo estado de ánimo, sin embargo, duró muy poco. Mi rabia se calmó, y el amor y la curiosidad me aconsejaron quedarme. Y, así lo hice. Empecé entonces a buscarlos con la mirada y ya no los vi. Acto seguido, me dirigí hacia la casa de Teleny.

Según iba caminando registraba con la mirada cada una de las calles vecinas. ¡Ni rastro de ellos...! Habían desaparecido. Ahora que los había perdido de vista, mi deseo de reencontrar Teleny aumentaba de manera casi dolorosa. Tal vez había ido a casa de Bryancourt. Y eché a correr en esa dirección.

De pronto, creí ver a lo lejos sus siluetas. Me dirigí en esa dirección como un loco. Pero antes, levanté el cuello del abrigo, calándome el sombrero hasta las orejas. Luego empecé a seguirlos por la acera opuesta.

No me equivocaba; ¡eran ellos...! Pero, ¿hacia dónde se dirigían en aquella dirección y por aquellos parajes tan solitarios?

Para no llamar su atención, me detenía cada cierto tiempo. Luego, disminuía la marcha; después, aceleraba el paso. En varias ocasiones pude observar que sus rostros se aproximaban, y Bryancourt rodeaba a Teleny por la cintura con su brazo. ¿Cómo se podía comparar la amargura del amante fiel con lo que yo estaba sintiendo en aquellos momentos?

En medio de mi pesar, había una sola cosa que me alegraba y que me servia de consuelo. Me di cuenta que Teleny estaba aceptando las caricias de Bryancourt, pero no las buscaba.

Ya habían llegado al extremo del muelle. Era un lugar muy molesto y bullicioso durante el día pero de noche, estaba muy tranquilo y totalmente solitario. Ambos parecían buscar a alguien; se volvían a todas partes, escrutando las caras de los escasos viandantes que por allí transcurrían, observando a los individuos sentados en los bancos paralelos al pretil.

Como más tarde pude saber, habían ido a aquel lugar por deseo de Teleny, porque era uno de esos lugares muy apartados de la ciudad que toda capital posee. Son rincones desiertos; parques muy solitarios. Suelen ser lugares de reunión de pederastas que la policía conoce y tolera. Yo experimentaba hacia los individuos que se encontraban allí, y que me solicitaban al pasar, una profunda y real repugnancia. Pero, sin embargo, yo mismo me moría de deseo por un hombre que me hacía tan poco caso como el que yo prestaba a aquellos sodomitas.

Absorbido por mi idea fija, no veía más que a Teleny y a su acompañante. Pronto me di cuenta de que no estaban solos; otros dos individuos se les habían juntado. Uno de ellos era un suboficial del ejército colonial, que estaba vestido de uniforme. Parecía un muchacho fuerte y apuesto. A pesar de la distancia, me pareció que era un árabe adolescente de tez oscura. Al otro no le pude distinguir bien.

El soldado charlaba animadamente, y, según pude averiguar por algunas palabras cazadas al vuelo, el tema era realmente interesante.

Mientras tanto, yo estaba, con los hombros encogidos y la cabeza hundida en el cuello del abrigo. Además, me había colocado el pañuelo sobre la cara, para mayor seguridad. A pesar de estas precauciones, Teleny pareció haberme reconocido, aunque yo caminase simulando no verlo. Me alejé rápidamente del lugar y comencé a caminar al azar. Era muy tarde, y no sabía dónde me encontraba. No tenía necesidad de cruzar el río para ir a mi casa. ¿Qué fue, pues, lo que me impulsó a atravesarlo? No lo sé, pero de pronto me encontré en mitad del puente, mirando por encima de la balaustrada el espacio vacío que se extendía ante mí.

El Támesis corta en dos la ciudad, como un amplio camino. A cada lado de él, se distinguían fantasmalmente entre la bruma las moles sombrías de los edificios: las cúpulas recubiertas de hollín, las torres oscuras, y las gigantescas y vaporosas agujas de piedra apuntaban al cielo hasta perderse en medio de la niebla.

Por debajo de mí veía como pasaban en remolinos las aguas frías del río. Estaban corriendo hacia el mar entre oleadas de espuma, chocando contra los pilares que sostenían los arcos del puente y produciendo un sordo eco bajo las arcadas, que proyectaban negras sombras sobre el centellear de las ondas.

En medio de esta sombras agitadas y mágicas, creía distinguir una aglomeración de espíritus casi enloquecidos que se desplazaban por todas partes, deslizándose como anguilas, guiñándome el ojo, encogiéndose y girando sobre sí mismos, invitándome a buscar y gozar del reposo de las sombras de Leteo [*].

[*] Leteo: en la mitología griega, es un río del Hades. Creían que los que bebían sus aguas, se olvidaban de todo como si perdieran la memoria de cualquier evento presente.

Tenían mucha razón. Era el tranquilo y definitivo reposo lo que aquellas aguas tumultuosas me estaban ofreciendo en su seno.

¡Qué profundas parecían aquellas aguas! Veladas por la bruma tenían el irresistible atractivo del abismo. ¿Por qué no podía buscar en ella el único bálsamo del olvido que podía calmar mi cerebro enfermo y refrescar el fuego que devoraba mi pecho?

Sí. ¿Por qué no?

Acaso el Todopoderoso había pronunciado alguna vez la maldición contra la destrucción de sí mismo? ¿Cómo? ¿Cuándo? ¿Dónde?

«Con su terrible diestra», decían las viejas Biblias, hablando de su golpe teatral sobre el Sinaí. Pero ¿quién lo había oído?

Pero, además, si realmente era así, ¿por qué iba a enviar a los humanos tentaciones que estaban totalmente por encima de sus fuerzas?

¿Qué padre empujaría a su amado hijo a desobedecerle por el simple placer de castigarlo luego? ¿Es que acaso un padre sería capaz de violar a su propia hija, no por lascivia, sino por el placer de reprenderla luego...? Si había un hombre y un padre como lo que acabo de describir, ¿era otro acaso que la imagen misma de ese ridículo e inconsciente Jehová?

Lo que si sabía, era que la vida no vale la pena vivirla, si no es agradable. Y para mí se había convertido en una cruel y triste carga difícil de sobrellevar.

La pasión que había creído ahogar y que no hacía más que incubar, había estallado con un furor nuevo, y tomaba posesión plena de mi ser. Sólo el crimen podía hacerla fracasar. En mi caso el suicidio, no sólo estaba permitido, sino que era un acto ensalzable; casi heroico.

¿Qué dice el Evangelio...? «Si tu ojo te escandaliza, arráncatelo».

Estos pensamientos estaban dando continuamente vueltas en mi cerebro, como un nido de serpientes. Ante mí, y en medio de la niebla, Teleny, semejante a un ángel de las Tinieblas, parecía contemplarme apaciblemente con sus ojos profundos, tristes y pensativos; por debajo mío, las aguas emitían en su correr un canto de sirena, y aquel canto me atraía.

En ese preciso momento, sentí que mi cerebro se oscurecía. Perdí toda conciencia. Maldije entonces a nuestro soberbio mundo, al que la imbecilidad del hombre ha convertido en un verdadero infierno. Maldije también, a nuestra sociedad de ideas estrechas y oscuras, donde sólo prosperan los hipócritas y los mentirosos. Y maldije a nuestra religión, tan limitada como corrompida, llena de estúpidos vetos sobre cada uno de los placeres de los sentidos. Empecé a subir el parapeto, decidido totalmente a buscar el completo olvido en las cenagosas aguas, cuando dos brazos, estrechándome, me impidieron caer al vacío.

—Camille, amor mío, ¿estás loco...? —Dijo una voz ahogada y jadeante.

¿Soñaba...? ¿Era Teleny, el que me sujetaba? ¿Era un ángel guardián o un demonio tentador? O, quizás, ¿me había vuelto loco?

No, no estaba loco, ni deliraba. Era el mismo Teleny, en carne y hueso. Yo lo sentía apretarme entre sus brazos. Volvía a la vida después de una horrible pesadilla.

La tensión de mis nervios y el completo abatimiento que a ella siguió, unidos a su estrecho abrazo, me dieron la impresión de que nuestros cuerpos, estrechamente abrazados, se habían fundido en uno solo.

Experimentaba una extraña sensación. Y, mientras mis manos recorrían nerviosas su cara, su cuello, sus hombros, sus brazos, no era a él a quien sentía, sino mi propio cuerpo. Nuestras frentes ardientes se apretaban una contra otra, y las pulsaciones de sus venas palpitantes parecían chocar contra mis propias venas.

Sin apenas darnos cuenta, nuestras bocas se encontraron de repente unidad en un deseo de fusión mutuo. No fueron besos lo que intercambiamos, sino el soplo ardiente que nos embargaba.

Permanecí durante un momento sumido en una especie de adormecimiento, sintiendo que mis fuerzas me abandonaban por completo, y conservando tan sólo el mínimo de conciencia para darme cuenta de que aún estaba vivo.

De pronto, un choque nervioso me atravesó de la cabeza a los pies. La sangre empezó a fluirme de nuevo del corazón al cerebro; mis nervios se tensaron, los oídos me tintinearon, y sentí como si centenares de agujas me penetraran en la carne. Nuestras bocas, por un instante separadas, volvieron a juntarse con ardiente voluptuosidad. Nuestros labios, estrechamente apretados, se frotaban con un ardor tal que la sangre comenzó a aflorar, mezclándose su líquido rojo con nuestra saliva, como el vino que se derramaba en los esponsales antiguos, para celebrar el matrimonio, no de dos cuerpos unidos por la puerilidad de un vino emblemático, sino mediante el jugo mismo de la vida.

Permanecimos así un largo rato, hundidos en un delirio extático, y saboreando cada uno de nuestros besos con un placer cada vez más intenso.

¡Aquellos ardorosos besos, eran la verdadera esencia del amor! Lo mejor de nosotros, la parte esencial del ser de cada uno, ascendía hasta nuestros labios como los vapores de una embriagadora miel.

Solamente en muy raras ocasiones, y a veces nunca, llegan los humanos a experimentar este tipo de éxtasis. Yo me sentía exhausto, vencido, y aniquilado. Todo me daba vueltas y sentía temblar la tierra bajo mis pies. No tenía ya fuerzas para sostenerme en pie. Me sentía desvanecerme. ¿Es que me iba a morir...? ¡Oh...! Si es así, la muerte debe ser el momento más feliz de nuestra vida, porque no era posible sentir dos veces una embriaguez como la que yo estaba sintiendo...!

¿Cuánto tiempo permanecí así? No podría decirlo. Todo lo que sé es que volví en mí totalmente aturdido, al escuchar el chirrido de las aguas bajos mis pies. Poco a poco, fui recobrando la memoria. Me vi en brazos de Teleny, e intenté desprenderme de su abrazo.

—¡Déjeme...! ¡Oh...! ¡Déjeme...! ¿Por qué no me ha

dejado morir...? El mundo me resulta odioso. ¿Por qué debo arrastrar una vida que me repugna?

—¿La vida le repugna? ¿Y por qué motivo...?

Y con un tono suave y lento, comenzó a murmurar palabras mágicas en una lengua desconocida. Palabras que fueron para mi alma como un bálsamo dulce y esperado por largo tiempo. Luego añadió:

—La naturaleza nos ha hecho el uno para el otro. ¿Por qué oponerse a ella? No puedo encontrar la felicidad sino en su amor. No es solamente mi corazón sino mi alma misma la que le anhela.

Haciendo un esfuerzo con todo mi ser, lo rechacé y retrocedí unos pasos.

—¡No, no...! —Dije—. ¡No me tiente más allá de mis fuerzas! ¡Será mejor que me deje morir!

—¡De acuerdo! Pero vamos a morir juntos. Al menos la muerte, no nos separará. Estaremos al fin unidos el uno para el otro en un mundo distinto, tal como describió Dante con Francesca [*] y su amante Paulo.

[*] *Francesca de Rimini: noble italiana de la Edad Media cuyo cruel destino fue dado a conocer por Dante en La Divina Comedia como símbolo del adulterio y la lujuria.*

A continuación, desenrollando la faja de seda que le ceñía la cintura, dijo:

—Vamos a atarnos juntos para hundirnos en el río.

Yo lo miré tembloroso y asustado. No podía ser. ¡Era tan joven y hermoso, y yo iba a asesinarlo! La imagen de Antínoo, tal como yo la había contemplado el día de nuestro primer encuentro, surgió de nuevo ante mí.

Ya había anudado ya su faja a su cintura e iba ahora a hacer lo mismo con la mía.

—Acérquese —dijo.

¿Es que yo tenía derecho a aceptar semejante sacrificio...? Le respondí:

—¡No...! ¡Tenemos que vivir!

—¿Vivir...? ¿Y entonces...?

Permaneció por un momento silencioso, esperando mi respuesta a una pregunta que no se atrevía a formular por entero. Comprendiendo su muda interrogación, le tendí las manos.

Y, como si temiera verme escapar, me apretó con toda la fuerza de su indomable deseo.

—Le amo —murmuró con voz ardiente—. ¡Le amo locamente...! No puedo vivir más tiempo sin usted.

—Ni yo tampoco —respondí yo con valentía y alegría—. He estado luchando con todas mis fuerzas contra mi pasión sin conseguir apaciguarla, pero ahora cedo, y no tímidamente, sino con alegría y ardor. Estoy contento de hacerlo. Te pertenezco completamente, Teleny. Feliz de ser tuyo y para siempre.

Un grito ronco surgió de su pecho. Sus pupilas chispearon. Su deseo casi se convirtió en rabia; era el de una fiera de presa que atrapa a su víctima; el del macho solitario que encuentra al fin su hembra esperada durante mucho tiempo. Era más aún: era un alma que iba al encuentro de su alma gemela, en un impulso ardiente de los sentidos, en una embriaguez loca del cerebro.

¿Podría llamarse lujuria al fuego inextinguible que nos consumía? Ambos parecíamos animales hambrientos que encontraban al fin pasto abundante, y mientras nos abrazábamos con una avidez cada vez más grande, mis dedos acariciaban sus rizos y la piel suave de su nuca. Nuestras piernas quedaron trenzadas, y su pene en erección comenzó a frotarse contra el mío, tan duro y erecto como el suyo. Y así como estábamos, estrechamente pegados uno a otro, uniendo nuestros cuerpos en el más estrecho contacto, jadeantes y sacudidos por violentos espasmos, mordiéndonos y cubriéndonos de ardorosos besos, supongo que debíamos parecer, en mitad del puente, y en medio de la niebla, dos condenados sumidos en el tormento eterno.

El paso del tiempo se había detenido, y creo que hubiéramos continuado así hasta agotarnos, hasta perder la razón, presas de este deseo insensato, deslizándonos por la pendiente de la locura, de no haber puesto fin a esto un pequeño incidente.

Un viejo coche de alquiler, fatigado por la dura jornada pasada, marchaba lentamente de retirada, con el cochero adormilado en el pescante. La pobre yegua, con la cabeza casi metida entre las rodillas, dormitaba igualmente, mecida por el lento ronroneo de las ruedas de caucho al girar sobre los adoquines.

—¡Vamos a mi casa...! —Dijo Teleny con voz nerviosa y baja, y añadió con un tono suplicante y amoroso—. ¡Vamos a mi casa...! ¡Acostémonos juntos!

Por toda respuesta, yo apreté su mano.

—¿De verdad aceptas?

—¡Sí...! —Murmuré yo, con una voz tan débil como un suspiro.

Él detuvo de inmediato el coche, despertando no sin esfuerzo al cochero, que tardó aún un rato en comprender lo que se le pedía.

Al subir al vehículo, mi primer pensamiento fue que en pocos minutos Teleny sería al fin mío, y aquel pensamiento me hizo estremecer de la cabeza a los pies, como recorrido por una corriente eléctrica.

No podía creer aún la dicha que se me daba, y mis labios tuvieron que pronunciar estas palabras: «Teleny va a ser mío», para poder creerlo. Él pareció comprender, porque tomando mi cabeza entre sus manos, me cubrió de sensuales y ardientes besos.

Pero enseguida, como asaltado por un remordimiento, me preguntó:

—¿De verdad no estás arrepentido?

—¿Por qué habría de arrepentirme?

—¿Y serás mío, sólo mío?

—Jamás he sido ni seré de ningún otro.

—Di que me amarás siempre.

—¡Siempre...!

—Que éste sea nuestro juramento y nuestro acto de eterna posesión —añadió él.

Y allí mismo, rodeándome con sus brazos, me apretó contra su pecho. Yo lo abracé igualmente y, a la luz de las linternas del coche, vi lucir en sus ojos el fuego de la locura. Sus labios resecos por la sed de un deseo por tanto tiempo contenido, se alargaron hacia los míos con una expresión de sufrimiento, y empezamos a succionarnos uno al otro, en un beso más ardiente, si es que podía ser, que el primero.

¡Oh...! El recuerdo de aquel beso todavía me quema los labios.

Un beso es algo más que el primer contacto carnal de dos cuerpos: es la exhalación de dos almas enamoradas. Pero el beso criminal, largo tiempo esperado, es más sensual aún; es el fruto prohibido, el tizón ardiente que hace hervir la sangre.

El beso de Teleny me estaba estimulando y mi paladar gustaba con gula su exquisito sabor. ¿Para qué un juramento cuando éste le ha otorgado ya en un beso? Un juramento no es más que una promesa de labios afuera, que generalmente se olvida. Un beso como éste, sin embargo, llega hasta la tumba.

Mientras nuestras bocas se fundían una con otra, su mano, lenta e imperceptiblemente, desabrochaba mi pantalón, se deslizaba por la abertura, apartaba la camisa y se apoderaba de mi pene tenso y ardiente. Suave como la mano de un niño, experta como la de una cortesana y firme como la de un maestro de esgrima. A su sólo contacto, trajo a mi memoria las palabras que había dicho la condesa.

Todo el mundo sabe que existen personas más o menos magnéticas. Unas emiten vibraciones que atraen, otras vibraciones repelentes. Teleny poseía para mí una especie de fluido magnético en los dedos. Mi mano, vacilante aún, empezó a seguir el ejemplo de la suya, y el placer que experimenté manejando aquella verga fue inenarrable.

Nuestros dedos apenas habían nuestros comenzado a recorrer los penes, cuando la tensión excesiva de nuestros nervios y nuestro grado de excitación, que había llenado hasta los bordes nuestros conductos seminales, terminó por hacerlos desbordar. Por unos instantes, un violento dolor se fijó en la raíz de mi pene, o más bien en el interior de las ingles, tras lo cual el zumo vital comenzó a correr lentamente, muy lentamente. De las glándulas seminales subía al glande, desde la uretra, a lo largo del estrecho conducto, como sube el mercurio en el tubo del termómetro, o se derrama la lava por la laderas del volcán. Al llegar a la cúspide, la hendidura se abrió, los pequeños labios se separaron y la crema viscosa saltó, pero no como un chorro violento, sino a sacudidas, y en forma de grandes lágrimas ardientes. A cada gota que se escapaba, sentía yo una indescriptible sensación en la punta de los dedos, en la extremidad de los pies, y en las más profundas células de mi cerebro; me parecía como si la médula espinal y la médula de los huesos estuvieran a pinto de licuarse; y cuando las diferentes corrientes, la de la sangre y la de las fibras nerviosas, confluyeron en el pene, hecho de músculos y arterias, un tremendo choque tuvo lugar, una convulsión que anulaba a la vez el espíritu y la materia, goce éste que cada uno puede llegar a sentir de manera más o menos fuerte, pero que puede llegar a ser tan violento que deja de ser placentero. Apretados el uno contra el otro, todo lo que podíamos hacer era intentar ahogar nuestros suspiros mientras las gotas de esperma se escapaban.

La debilidad siguiente a la tensa sobrecarga de los nervios ya había terminado cuando el coche de alquiler se detuvo ante la puerta de Teleny. Aquella puerta que tan locamente había golpeado con mis puños algún tiempo antes.

Bajamos del coche agotados, pero tan pronto la puerta de la casa se hubo cerrado tras nosotros, comenzamos de nuevo a acariciarnos y a besarnos con renovado ardor.

Ambos éramos incapaces de refrenar nuestros deseos. Teleny me dijo:

—¡Vamos, vamos! No debemos perder aquí un tiempo precioso, en medio del frío y la oscuridad.

—¿Tienes frío...? —Le dije algo nervioso—. ¿Encuentras esto demasiado oscuro?

Él me besó tiernamente pero sin decir nada.

—En la sombra tú eres mi luz —seguí diciendo yo—; tú eres el fuego que me calienta; las extensiones heladas del Polo serían para mí un paraíso cálido y acogedor, si tú estuvieras allí.

Subimos a tientas la escalera, porque yo no le dejé encender ni una cerilla.

Yo me apretujaba contra él, no porque no viera nada, sino porque estaba ebrio de una rabia amorosa, tanto como pueda estarlo de vino el borracho.

Pronto estuvimos en su apartamento, y, ya en la entrada, en la antecámara débilmente iluminada por una vela, me tendió los brazos.

—Sé bienvenido —me dijo—, y ojalá que esta casa llegue a convertirse en la tuya.

Luego, en voz baja y en su lengua extranjera, tan armoniosa, añadió: «¡mi cuerpo tiene hambre de ti, alma de mi vida, vida de mi vida!»

Apenas había terminado de decir esto, cuando ya nos abrazábamos de nuevo.

—¿Sabes? —Me dijo—. Hoy te esperaba.

—¿Que me esperabas? —Exclamé yo, sorprendido.

—Sí. Sabía que tarde o temprano serías mío. Y yo sentía que sería hoy, precisamente.

—¿Cómo puede ser eso...?

—Un presentimiento.

—¿Y si no hubiera venido?

—Hubiera hecho lo que tú ibas a hacer, cuando llegué a tiempo de impedírtelo. Para mí, la vida sin ti estaba resultando insoportable.

—¿Cómo? ¿Te hubieras ahogado conmigo?

—No; no exactamente. El río está demasiado frío y oscuro y yo soy demasiado sibarita. No; simplemente me hubiera dormido. Hubiera entrado en el sueño eterno, pensando en ti, en esta cámara preparada para recibirte, donde ningún hombre ha penetrado jamás.

Abrió entonces la puerta de una pequeña alcoba, completamente perfumada con un penetrante olor a heliotropo.

Era un pieza muy original, recubierta toda ella de una espesa tela blanca, clavada en los muros con tachuelas de plata; un tapiz decorado con blancos corderos cubría el panel central, por encima de un amplio diván, recubierto a su vez por una inmensa piel de oso polar. Colgando sobre este mueble único, una antigua lámpara de plata, procedente sin duda de una iglesia bizantina o de una sinagoga de Oriente, difundía una luz pálida, suficiente para alumbrar este templo de Príapo donde ambos debíamos oficiar.

—Ya sé —me dijo sonriendo—, que el blanco es tu color preferido; sienta bien con tu tez morena. Por eso lo he adoptado para ti; para ti sólo. Ningún otro entrará jamás aquí.

Y, dicho esto, con una rapidez inusitada, me despojó de toda ropa. Yo me dejaba hacer, sintiéndome entre sus manos como un niño dormido o un religioso en éxtasis. En un abrir y cerrar de ojos me encontré totalmente desnudo y tendido sobre la piel del oso, mientras él, de pie delante de mí, me contemplaba con ojos devoradores y ardientes.

Sus miradas me registraban por todos y cada uno de mis recovecos, y parecían hundirse en mi cerebro, hasta hacerme perder la noción de las cosas.

Estas miradas atravesaban mi corazón y fustigaban mi sangre, que corría cada vez más ardiente por mis venas, e infundían su fluido en mis arterias, mientras Príapo levantaba la cabeza, tan henchido y tenso que parecía que sus venas fueran a estallar.

Comenzó entonces a pasear sus manos por todo mi cuerpo. Luego, puso a trabajar sus labios, cubriéndome de besos el pecho, los brazos, las piernas y los muslos. Y cuando hubo llegado al arranque de éstos, apoyó con delicia la cara sobre el espeso y abundante toisón que recubre el pubis.

Se estaba estremeciendo de placer, sintiendo a los pelos cosquillearle las mejillas y el cuello; tomando entonces el pene, lo apoyó contra sus labios. El contacto de éstos con mi pene me puso fuera de mí, mientras él iba devorando el glande, y luego el miembro entero. Yo, entretanto, revolvía los bucles de su cabeza, trémulo de voluptuoso placer, capturado por aquella sensación aguda que me volvía loco.

La columna, toda mi vibrante columna se hallaba ya dentro de su boca, la cabeza alojada sobre el paladar, cosquilleada por su lengua que la acariciaba con leves toques. Me sentía succionado, mordisqueado y mordido. El placer era tan fuerte, que me sentía morir, y de haberme durado un instante más, de seguro hubiera perdido el conocimiento.

—¡Basta, basta! —Grité—. ¡Te los suplico!

Pero él permanecía sordo a las súplicas. Mis ojos veían chispas y luces, y un torrente abrasador recorría mi cuerpo, traspasado, de cuando en cuando, por violentos espasmos.

—¡Basta...! ¡Por favor!

Mis nervios se retorcían; yo me encogía sufriendo convulsiones. De pronto una de sus manos que acariciaba mis testículos, se deslizó por debajo de las nalgas y sentí penetrarme el ano con un dedo. Me parecía ser un hombre por delante y una mujer por detrás, y experimentaba por ambos lados un placer indecible.

Era más de lo que podía soportar. Sentía como si todo mi cuerpo se estuviera licuando. La savia ardiente de la vida ascendió entonces como una lengua de fuego, mientras mi sangre en completa ebullición, alcanzaba el cerebro y llevaba a éste el delirio. No pudiendo ya resistir más, me desmayé de placer, y caí sobre él como una masa inerte.

Algunos minutos después, volví a recobrar el sentido, y

poseído por una rabia erótica, quise a mi vez devolverle sus caricias, tomando su lugar.

Empecé a arrancarle la ropa y lo dejé tan desnudo como yo estaba. ¡Qué placer sentir su carne contra mí...! ¡Cuanto lo había deseado...! Las delicias que acababa de experimentar no habían hecho más que aumentar mi ardor, y, tras habernos acariciado mutuamente durante unos enervantes y voluptuosos momentos, retrocedimos hacia el tapiz. Lo hicimos estrechamente entrelazados, confundidos, frotándonos y retorciéndonos como gatos en celo que se excitan entre sí, en el paroxismo de su rabia amorosa.

Mis labios ardían por gustar su verga, órgano soberbio digno de servir como modelo al ídolo del templo del Príapo o ser suspendido del frontón de un prostíbulo pompeyano. A la vista de este dios sin alas, muchos hombres hubieran renunciado al amor de las mujeres, ¡cosa que hicieron muchos!, para poder dedicarse a su propio sexo. Sin tener unas dimensiones excesivas, era enorme; el glande, grueso y redondo, aunque ligeramente aplanado, era, como un durazno de carne y sangre, pulposo, apetitoso, opíparo.

Yo lo recorría por todas partes con mis ojos ávidos, lo cogía entre mis manos, lo besaba; paseaba mis labios por su piel aterciopelada, y aquél, al igual que el mío, se agitaba con sacudidas regulares. Mi lengua cosquilleó, primero, suavemente su cabeza, intentando introducirse entre los pequeños labios que, poco a poco, se abrían para dejar deslizar una gota rosada, golosamente recogida por mí a su salida. Con verdadera gula, me dediqué a lamer y a chupar este glande. El miembro se removía verticalmente, mientras yo intentaba apretarlo más estrechamente aún con mis labios, introduciéndolo cada vez más a cada golpe, hasta alcanzar la glotis, donde lo sentí aumentar más aún de volumen. Yo iba cada vez más rápido, más rápido. Teleny se aferraba furiosamente a mi cabeza, con los nervios crispados.

—¡Tu boca me abrasa...! ¡Me chupas el cerebro...! ¡Basta,

basta, no puedo más, es demasiado...!

E intentaba apartar mi cabeza, para hacerme parar. Pero yo apretaba aún más fuerte su verga con mis labios, rodeándola firmemente con mi lengua, mientras mis movimientos se aceleraban. Pronto un temblor comenzó a recorrer todo su cuerpo y un chorro de líquido ardiente, viscoso y algo amargo me llenó la boca. El goce era tan agudo que se transformaba en agridulce dolor.

—¡Basta! ¡Basta! —Seguía murmurando.

Luego, cerró los ojos y quedó sin movimiento, mientras yo alborozaba de gozo, pensando que era verdaderamente mío, puesto que había sorbido su líquido espumante, su elixir de la vida.

Durante unos instantes sus brazos permanecieron muy apretados y recorridos por nerviosas convulsiones. Luego, relajándose, quedó rígido y como aniquilado por el exceso de placer.

Yo me hallaba tan exhausto casi como él, pues, en medio de mi furia, lo había succionado con tal furor y avidez, que yo mismo obtuve una abundante eyaculación. Seguidamente, abrumando y con los nervios flojos, caí a su lado sobre el diván.

Después de un corto reposo, aunque no sabría decir de cuanto tiempo, puesto que habíamos quedado fuera del orden tranquilo y regular del tiempo, sentí que su pene comenzaba a salir de su sopor y se apretaba contra mi cara, buscando evidentemente mi boca, como el bebé glotón sujeta dormido el pezón de la madre con la boca, por el sólo placer de sentir el contacto de éste con su lengua.

Yo apoyé en él mis labios y, semejante a un gallo joven que se despierta al alba y tendiendo el cuello lanza un furioso y alegre cacareo, levantó la cabeza y penetró en ellos.

Tan pronto lo tuve en mi boca, Teleny dio un giro sobre sí mismo y se colocó sobre mí en la misma posición que yo mantenía con respecto a él, es decir, con la boca a la altura de la parte media de mi cuerpo, pero con la diferencia de que él estaba sobre mí, y yo debajo de él, acostado de espaldas.

Una vez en esta posición, comenzó por abrazar mi verga con la boca, jugando con su sedoso toisón. Luego, acarició con ella los muslos y los testículos, con un cosquilleo que me causaba un deleite indecible.

Sus manipulaciones aumentaban de tal modo el placer que me daba con su boca y su falo, que pronto quedé fuera de mí.

Nuestros cuerpos formaban una masa única y de temblorosa sensualidad, y aunque ambos precipitábamos por igual nuestras amorosas sacudidas, el erotismo nos atenazaba hasta tal punto que, en medio de la tensión de los nervios, las glándulas seminales se negaban a realizar su trabajo.

En vano nos afanábamos. La razón, en semejantes circunstancias, acabó por abandonarme. El fluido que se negaba a correr por nuestros conductos me daba vueltas en la cabeza, nublándome los ojos, y tintineaba en mis oídos. Había alcanzado la cima del delirio erótico, el paroxismo de la rabia amorosa. Mi cerebro me daba la impresión de haber sido trepanado, y mi espina dorsal cortada en dos.

Chupaba, sin embargo, su pene cada vez más deprisa, y tiraba de él como si de un pezón se tratara; quería vaciarlo. De pronto lo sentí palpitar, hincharse, las puertas espermáticas parecían abrirse, y el jugo saltó al fin como una lluvia de brillantes chispas; los fuegos del infierno dejaron paso entonces a un Olimpo delicioso y calmo, lleno de delicias y ambrosía.

Tras un momento de reposo, y con la cabeza apoyada en mi codo, pude regocijarme con la visión de la fascinante belleza de mi amado, verdadero modelo académico: pecho alargado y fuerte, brazos musculosos y redondeados; jamás había visto semejante vigor unido a una elegancia tal de formas. Hubiera sido muy difícil encontrar en él el menor rastro de grasa superflua o la más mínima carne de sobra. Era todo nervio y músculo y sus finos ligamentos eran los que le daba aquella elegancia llena de gracia, aquella flexibilidad característica suya, que lo conectaba con el ondular de una serpiente. Su pie era de una blancura ambarina y el vello de la diversas partes del cuerpo, a diferencia del pelo de la cabeza, era totalmente negro.

Teleny abrió los ojos y me tendió los brazos, me tomó la mano, y comenzó a besarme y mordisquearme la nuca; luego, dejando deslizar sus labios por toda mi espalda, depositó en ella una sucesión interminable de besos, similares a pétalos caídos de un rosal. Tomó entonces los dos lóbulos carnosos y, abriéndolos con ambas manos, introdujo su lengua en el agujero que anteriormente había penetrado con su dedo. La sensación que esto me produjo, fue algo nuevo y delicioso.

Luego, levantándose, me tendió las manos, y me ayudó a hacer lo mismo.

—Ahora —dijo—, vamos a ver si encontramos algo de comer en la habitación vecina. Necesitamos tomar algo para reponernos, pero antes, quizá no sería mala idea tomar un baño. ¿Qué te parece?

—Que va a causarte muchas molestias.

Por toda respuesta, me hizo entrar en una especie de invernadero, lleno de helechos y palmeras enanas, que durante el día recibían la luz del sol a través de una amplia guardilla.

—Este es un lugar que suelo usar a la vez como invernadero y cuarto de baño, cosas que debería haber en todas las casas. Soy demasiado pobre para permitirme tener ambas por separado, pero este pequeño rincón me basta para que sea mi baño y además las plantas parecen encontrarse muy bien en esta atmósfera a la vez cálida y húmeda.

—¡Pero si es un cuarto de baño principesco!

—¡No...! ¡Nada de eso...! —Respondió sonriendo—. Se trata simplemente del cuarto de baño de un artista.

Nos sumergimos en un agua humeante y perfumada con esencia de heliotropo, que supuso un excelente descanso a nuestros recientes excesos.

—¡Hum...! De buena gana me quedaría aquí toda la noche —dijo él—. ¡Es muy agradable permanecer dentro del agua...! Pero tenemos hambre, y debemos satisfacer las exigencias de nuestros estómagos.

Al salir del baño, nos envolvimos para secarnos, en unos tibios batines que eran de felpa fina y suave.

—Ven, pasemos al comedor.

Yo titubee un poco, debido a mi desnudez y la suya. Él sonrió cariñoso.

—¿Acaso tienes frío?

—No, pero...

—No tengas miedo, no hay nadie en el apartamento. Todo el mundo duerme en los demás pisos, y las ventanas se hallan cuidadosamente cerradas y, además, las gruesas cortinas están echadas.

Y, acto seguido, me condujo hacia la siguiente habitación que estaba enteramente recubierta de espesos y sedosos tejidos de una color rojo pálido. En el centro de la habitación colgaba una lámpara de curiosa y artística forma, que difundía una luz viva y radiante.

Nos sentamos allí, sobre un diván, delante de una exquisita mesa de ébano, de talla árabe, incrustadas de marfil y nácar.

—A pesar de que te estaba esperando, no es un gran banquete es que te tengo preparado, pero supongo que habrá suficiente para saciar tu apetito.

El menú se componía de deliciosas ostras de Cancale, regadas con una añeja y empolvada botella de Sauternes; acompañaban a esto un paté trufado del Périgord, perdiz a la pimienta, y una ensalada de trufas cortadas en delgadas lonchas, para las que había preparada una botella de excelente jerez seco.

Todas estas verdaderas exquisiteces estaban servidas sobre antiguos platos de Delft azul y de Savone, pues Teleny conocía mi gusto por la porcelana antigua.

Para los postres, sirvió un plato de naranjas de Sevilla,

a las que además añadió plátanos y piña al marrasquino, recubiertos de azúcar, formando una deliciosa compota perfumada por el aroma de estos frutos.

Después de rociar todo esto con una copa de champaña y de saborear unas cuantas minúsculas tazas de verdadero moka, ardiente y perfumado, Teleny encendió su tabaco narguillé, y comenzamos a aspirar alternativamente un rollo de oloroso Lakatieh, mezclando sus azuladas espiras con el ardor de nuestros besos.

Los vapores del tabaco se mezclaban en nuestras cabezas con los del vino, despertando nuestra sensualidad, y pronto tuvimos cada uno en la boca un trozo de carne bastante más voluminoso que el ámbar de la pipa turca. Nuestras cabezas se hundieron entre los muslos, y ambos quedamos entrelazados, formando un único cuerpo, apretándonos uno contra otro, buscando cada uno en el cuerpo del otro nuevas caricias, nuevas sensaciones, en un embriaguez lúbrica cada vez más violenta, con un deseo acuciante, no solamente de gozar, sino de hacer gozar también al otro. Los monosílabos y las palabras inarticuladas comenzaron a expresar el clímax de nuestra voluptuosidad, hasta que, más muertos que vivos, caímos uno sobre otro, como un sola masa de carne temblorosa. Después de media hora de reposo y un cóctel de arak, bebida alcohólica anisada, curaçao y ponche de whisky rociado con excitantes especias, nuestras bocas se unieron de nuevo.

Sus labios húmedos temblaban tan levemente sobre los míos que apenas podía sentirlos, sirviendo sólo para despertar aún más el deseo de sentir su estrecho contacto, mientras su lengua torturaba sin piedad la mía. Durante este tiempo pasaba y repasaba la parte más delicada de mi cuerpo, con tanta suavidad como riza la superficie del agua la brisa ligera del verano, haciendo respingar de placer toda mi carne.

Me hallaba tendido sobre un montón de cojines que me situaban a la altura de Teleny; él me tomó las piernas, colocándoselas sobre los hombros y, apartándomelas, comenzó a besar y luego lamer el orificio intermedio, lo que me procuraba un placer inefable. Cuando hubo preparado bien la entrada, lubricándola con su lengua, intentó hundir en ella la cabeza de su pene. Era inútil; no podía penetrar.

—Déjame humedecerlo —dije yo—, y así podrá entrar más fácil.

Coloqué entonces su miembro en mi boca, lo acaricié con mi lengua y lo chupé hasta la raíz.

—Ahora —dije— gocemos de este placer que ni los mismos dioses quisieron desdeñar.

Y con la punta de mis dedos aparté los bordes de aquella fosa que ardía por recibir el enorme instrumento asomado a su entrada.

Teleny apretó con su glande una vez más; la punta pudo penetrar unos milímetros, pero el formidable champiñón no pudo avanzar más.

Con tono de duda, dijo:

—¡No quiero seguir....! Tengo miedo de hacerte daño. Si quieres, podemos dejarlo para otro momento.

—¡Oh, no...! Nada de eso. ¡Es un placer tan grande sentir tu cuerpo penetrar el mío, que no quiero esperar!

Lo intentó una vez más, empujando suavemente pero con firmeza; los músculos del ano se relajaron, y el glande pudo penetrar al fin; la piel se distendió de tal manera, que unas gotas de sangre asomaron por los bordes del esfínter, pero el pasaje había quedado practicable, y el placer ahora superaba con mucho al dolor.

Teleny se encontraba como aprisionado; no podía ni hundir más, ni retirar tampoco su instrumento y cuando intentó avanzar más allá, sintió como si de pronto fuera a sufrir una circuncisión. Suspendió por un momento su esfuerzo y, después de preguntarme si me hacía daño, y responderle yo que no, hizo penetrar el pene de un vigoroso empujón.

El Rubicón había sido franqueado, y la columna comenzó

su deslizamiento, pudiendo ya realizar su tarea totalmente a gusto. El miembro entero quedó enterrado en mí, y el dolor que todavía yo sentía, desapareció por completo, aumentando correlativamente el placer que me embargaba.

Volviendo a medias mi cara, podía ver sus hermosos ojos hundirse en los míos.

¡Oh, aquellas insondables pupilas! Como el cielo y el océano, se reflejaban en el infinito. Jamás volveré a ver otros ojos tan llenos de languidez y de amor ardiente.

Ejercían sobre mí un poder magnético y llegaba casi a arrebatarme la razón, más aún, cambiaba en deleite un dolor agudo.

Yo me hallaba sumido en una especie de alegría extática; todos mis nervios estaban contraídos, mientras él, excedido por el goce, se retorcía y rechinaba los dientes, sin poder casi soportarlo. Sus brazos se aferraban a mis hombros, hundiendo las uñas en mi carne; intentaba moverse, pero su verga estaba tan estrechamente alojada en mis entrañas que cualquier desplazamiento resultaba totalmente imposible.

Se veía casi abandonado por sus fuerzas, y sus piernas ya no lo sostenían.

Cuando estaba a punto de intentar un nuevo embate, yo apreté con toda la fuerza de mis músculos la verga tan firmemente clavada en mí, y un violento chorro, semejante a un géiser, inundó entonces mis entrañas, quemándome como un líquido abrasivo y haciendo hervir mi sangre, como un alcohol que estuviese hirviendo. Su respiración era jadeante, convulsiva, y, sofocado, cayó sobre mis espaldas sin aliento. Murmuró:

—Me muero. Esto es demasiado.

Y quedó como desmayado.

Media hora más tarde, se despertó, con los ojos radiantes de agradecimiento, y dijo:

—Me has hecho sentir lo que jamás hasta ahora había sentido.

—¿Y yo? —Respondí, sonriéndole.

—Realmente, no sé si de verdad estabas en el cielo o en el infierno. Llegué a perder por completo la noción de las cosas.

Y deteniéndose un momento para contemplarme con fijeza, añadió:

—¡Cómo te amo, Camille...! Te amé hasta la locura desde el momento mismo en que te vi.

Yo le conté entonces cuánto había sufrido intentando expulsarlo de mi corazón; el modo como su imagen me perseguía por las noches, y la locura de tenerlo ahora.

—Y, ahora, tú vas a tomar mi lugar y sentir lo que yo he sentido. Es necesario que en esta ocasión, seas tú el activo y yo el pasivo; pero intentemos otra posición, ya que la que tomamos antes es demasiado cansada.

—Dime, ¿qué es lo que tengo que hacer yo? —Dije—. Tú sabes que soy novicio.

—Siéntate ahí —me respondió, mostrándome una especie de taburete confeccionado para aquel menester—. Yo me subiré sobre ti para que me atravieses como si fuera una mujer. Es como un galopar que enloquece por completo a las mujeres, y que éstas practican en cuanto tienen ocasión.

Yo obedecí, pero antes él se arrodilló para hacer sus devociones ante Príapo erecto que, después de todo, es un trozo de carne mucho más agradable que el dedo del pie papal, y, tras haber humedecido y cosquilleado a este pequeño dios con su lengua, se ensartó en mí. Desflorado como ya estaba desde hacía tiempo, mi verga entró más fácilmente de lo que la suya había entrado en mí, y aunque mi instrumento no es precisamente de dimensiones corrientes, no pareció causarle el más mínimo daño.

Comenzó abriendo con los dedos el agujero, hizo entrar primero la cabeza, luego, hundiendo las nalgas, la mitad del balano; se alzó luego, una vez más, para hundirse de nuevo, y tras unas pocas sacudidas de este tipo, la columna entera quedó alojada en él. Cuando hubo quedado bien ensartado, me rodeó el cuello con sus brazos.

—¿Lamentas haberte entregado a mí? —Me preguntó, mientras me abrazaba casi convulsivamente, como si temiera perderme.

Mi pene respondió por mí, agitándose en su interior.

—¿Crees que hubiera sido más agradable encontrarnos ahora en el fondo del río? —Continuó.

—¿Cómo puedes pensar en algo tan horrible en estos precisos momentos...? Es como una blasfemia.

Y sin añadir más, en aquel mismo momento, comenzó la cabalgata de Príapo, con una habilidad sin igual, cambiando del paso al trote, y de éste al galope, levantándose sobre la punta de los pies, para hundirse de nuevo, y volver a levantarse más deprisa, cada vez más deprisa, comprimiendo los glúteos a cada movimiento, de modo que yo me sentía presionado, capturado, bombeado y succionado al mismo tiempo.

Mis nervios se pusieron totalmente en tensión; mi corazón empezó a latir con tal violencia que apenas podía respirar. Mis arterias se hallaban a punto de estallar. Un calor intenso comenzaba a abrasarme y sentía que en las venas, en vez de sangre, tenía fuego.

Él, en cambio, aumentaba por momentos la velocidad. Yo me debatía en medio de una deliciosa tortura. Tenía la sensación de estar fundiéndome, y él no se detuvo hasta haberme extraído la última gota de savia vital que aún quedaba en mí. Mis ojos se hallaban casi fuera de las órbitas; los párpados cansados estaban a punto de cerrárseme, y una insoportable voluptuosidad, mezcla de dolor y placer, me hacía sentir anonadado. Luego, todo se esfumó. Él me tomó entre sus brazos y yo me desmayé, mientras él atravesaba con su lengua mis labios pálidos y faltos de calor ya.

No sé si he podido describir las sensaciones maravillas y extraordinarias que sentí.

7

Descansamos algunas horas. Me sentía pletórico de dicha. Estaba satisfecho y completamente feliz.

Cuando empecé a pensar en los acontecimientos de esa noche me parecieron casi un sueño paradisíaco.

—Sin duda te sentirás bastante extenuado, después de tanto placer —dijo con una acariciante mirada.

¡Extenuado...! ¡En absoluto...! Me sentía en plena forma, y tan ligero como las alondras, que aman sin jamás sentir la saciedad del amor. Hasta entonces, el amor que las mujeres me procuraban jamás había logrado rebajarme los nervios.

Se trata de un acto del que todos estamos físicamente necesitados. Pero la lujuria que en aquel momento me embargaba, venía a añadir al acto físico una expansión de espíritu y una armonía de todos mis sentidos sin posible comparación.

El mundo, que hasta entonces me había parecido frío, sombrío y desolado, para mí, de pronto, había pasado a ser un verdadero paraíso. El aire, aunque el termómetro hubiera descendido considerablemente, era ligero y muy perfumado; el sol, disco de pálido cobre, que es lo más parecido al trasero de una piel roja que a la esplendente cara de Apolo, brillaba para mí en toda su gloria, y hasta la oscura niebla, que a las tres de la tarde comenzaba a extender sus sombras por la ciudad, me parecía en aquellos momentos un vapor ligero que, velando toda la posible fealdad, daba un carácter fantástico a la naturaleza y al hombre un aspecto confortable y suave. Tales son los poderes de la imaginación.

Mi interlocutor se estaba sonriendo.

—¿Es que no esta usted de acuerdo...? Don Quijote no fue el único que tomó por gigantes a los molinos de viento y a la criada por princesa. Si su frutero no toma jamás a los nabos por manzanas, ni el dueño de su tienda de alimentos no confunde jamás el café con la mostaza, o las lentejas con las ciruelas, es porque se trata de gente totalmente falta de imaginación. Son personas que calculan cada cosa en la báscula de la razón.

Intente usted encerrarlos en una cáscara de nuez y verá si estiman o no a los monarcas del mundo. Al revés que Hamlet, ven las cosas por su lado realista. Eso es algo que yo no hice nunca. Aunque debo confesar que mi padre murió loco.

Como quiera que sea, la anterior sensación de abatimiento y disgusto por la vida, habían desaparecido. Me sentía alegre, contento, feliz. Teleny era mi amante y yo lo era suyo.

Lejos de sentirme avergonzado de mi crimen, hubiera querido proclamarlo ante el mundo entero. Por primera vez en mi vida comprendía la locura de los enamorados que entrelazan sus iniciales. Hubiera querido grabarla sobre la corteza de todos los árboles, para que los pájaros, al verlas, piaran ante ellas de la mañana a la tarde; para que la brisa hiciera susurrar en su honor el murmullo de las hojas. Hubiera deseado escribir esas iniciales en la orilla del mar, sobre la arena, para decir al océano mi amor, y que él pudiera murmurarlo para siempre. Mirándome con ojos enamorados, Teleny, me dijo:

—Yo estaba pensando que, una vez pasada la loca embriaguez del momento, usted se hubiera sentido avergonzado de tener a un hombre por amante.

—¿Y por qué razón tendría que estarlo? ¿Había acaso cometido un crimen contra natura, cuando mi propia naturaleza encontraba en ello paz y felicidad? Si así era, sería culpa de mi sangre, de mi temperamento, y no culpa mía. ¿Quién planta las ortigas que nacen en mi jardín? No he sido yo, ni ninguna otra persona, pero sin embargo, nacen allí desde siempre, y sin saber cómo. Yo sentí el molesto escozor de esta tendencia en mi carne, antes de poder comprender su causa, y, habiendo yo intentado refrenar mi concupiscencia, ¿era culpa mía que en la balanza de mi carácter el platillo de la razón pesara mucho menos que el de la sensualidad? ¿Tenía acaso yo culpa de que mi pasión reinara sobre mi sensualidad? ¿No me había demostrado claramente el destino que podía elegir un camino más agradable que arrojarme al río? Había cedido al destino, y, habiéndolo hecho, nadaba ahora a favor de sus aguas lleno de alegría.

Por otro lado, jamás he dicho como Yago [*]: «La virtud es una aflicción» No, la virtud posee el dulce sabor del pescado; pero el vicio es la pequeña gota de ácido prúsico, igualmente deliciosa. La vida, sin mezclas, sería totalmente simple e insulsa.

[*] Lago: personaje de la tragedia de Otelo.

—Sin embargo, al no haber sido iniciado en la sodomía, como la mayor parte de nosotros, durante los años de colegio, yo pensaba que el acto de entregar su cuerpo a un hombre lo llenaría de repugnancia.

—¿De repugnancia...? Pregunte usted a cualquier virgen si lamenta haber entregado su virginidad al elegido de su corazón. Ha perdido un tesoro más valioso que todas la riquezas de Golconda [*]; ya no es lo que el mundo llama un ser puro, sin mancha, inmaculado, y si no sabe fingir, la sociedad, compuesta, como usted bien sabe, de castos lirios, la marcará con un nombre infame; los depravados la perseguirán, y los puros le volverán la cabeza con desprecio. Y sin embargo, ¿lamentará esa muchacha haber entregado su cuerpo a cambio de un poco de amor, a cambio de lo único que hace soportable la vida? No, ¿verdad? Pues yo tampoco.

¡No me importa que los cerebros resecos y los corazones estrechos me maldigan! No me preocupa.

[*] *Golconda: fortaleza y ciudad abandonada, situada en Andhra Pradesh, en la India.*

Cuando al día siguiente volvimos a vernos, no quedaba en nosotros el menor rastro de fatiga, y ambos nos precipitamos uno en brazos del otro, cubriéndonos de besos, porque nada aumenta tanto el fuego amoroso como una corta separación. ¿Qué es lo que hace tan insoportables los lazos conyugales? Sin lugar a duda la gran intimidad, los detalles prosaicos, la trivialidad de la vida material de cada día. Hace falta que la joven esposa ame muy profundamente a su marido para no experimentar decepción alguna cuando lo ve despertarse, después de un noche entera de ronquidos, descuidado, sin rasurar, en pijama y pantuflas; cuando lo oye carraspear y escupir, como los hombres tienen costumbre de hacer, y emitir ruidos aún peores.

Y no menos decepcionado debe quedar el marido, cuando contempla, lleno de desagradable repugnancia, el sexo de su mujer, pocos días después de las nupcias, que esta totalmente envuelto en paños sangrantes. ¿Por qué la naturaleza no nos ha hecho ser como los pájaros, o mejor, como esos insectos efímeros que no viven más que un solo día, pero un largo día de amor?

Al día siguiente de aquel venturoso encuentro, Teleny aparecía en concierto de gala, y esta vez se superó en el piano. Aún no habían terminado las damas de agitar sus pañuelos y arrojar flores al escenario, cuando, escapando a las felicitaciones de un grupo de admiradores, vino a unírseme al coche que lo esperaba a la salida del teatro, para llevarnos a su casa. Pasé de nuevo la noche con él. Fue otra noche sin sueño, pero llena de inefables y ardorosas caricias.

Como verdaderos fieles del antiguo dios griego, ofrecíamos a Príapo siete copiosas degustaciones, porque siete es un número místico, cabalístico y favorable, y por la mañana nos separamos uno del otro, jurándonos fidelidad y amor eternos. Pero es bien sabido que nada hay inalterable en este mundo, como no sea el eterno sueño e la noche eterna.

Mi interlocutor interrumpió mi relato, preguntando:

—Pero, ¿y su madre, Des Grieux? ¿Qué pensaba ella de todo esto?

—Ella notó rápidamente mi transformación. Pero en lugar de ser una de esas damas ceñudas y quisquillosas, que no encuentran reposo en parte alguna, estaba siempre de buen humor y atribuía mi cambio a los tónicos que bebía últimamente, sin sospechar ni por asomo la verdadera naturaleza de lo que me estimulaba y hacia vivir. En último extremo, sospechaba quizá que tenía alguna relación secreta, pero, siendo su costumbre no mezclarse jamás en mis asuntos privados, pensó que había llegado el momento de soltar finalmente mis amarras, y me dejó que hiciese lo que quería.

—En definitiva, que era usted un hombre dichoso.

—Sí, pero la felicidad perfecta no dura mucho tiempo. El infierno tiene su boca en el umbral mismo de los Cielos, y un paso en falso hace pasar sin transición de las delicias del Cielo a los tormentos del infierno. Así me ocurrió a mí aquel preciso instante de mi vida. Quince días después de esta memorable noche de enervantes delicias, me desperté hundido en un abismo de desgracias, habiéndome dormido en la más total felicidad.

Una mañana, al bajar a desayunar, encontré sobre la mesa un sobre a mi nombre, traído la tarde anterior por el cartero. Jamás recibía correspondencia en mi casa, no teniendo en general otra que la de negocios, que solía recibir en mi oficina. La letra, por lo demás, me era desconocida. «Debe ser de algún cliente», pensé, mientras extendía la mantequilla sobre el pan. Finalmente me decidí a abrir el sobre. En el interior había una carta con dos líneas, sin firma ni dirección.

—¿Y...?

—¿Ha colocado alguna vez usted, por accidente, la mano sobre una potente batería eléctrica y recibido ese choque que durante un momento deja a uno inconsciente? Si lo ha hecho, podrá hacerse una leve idea del efecto que este trozo de papel produjo en mis nervios. Me sentí fulminado. Tras leer aquellas dos líneas, la mirada se me nubló y perdí de vista todos los objetos que a mi alrededor había en la habitación.

—¡Diablos...! Pero, ¿qué era lo que de tal modo lo aterrorizó...?

—Nada más que estas dos abominables frases que para siempre han quedado grabadas en mi memoria:

«Si no abandona inmediatamente el amor de T..., será denunciado como persona sodomita»

Esta horrible e infame amenaza anónima, en su crudo cinismo, llegaba de forma tan repentina, que fue para mí, como dicen algunos: un trueno en medio de un día soleado.

Sin sospechar su contenido, había abierto al descuido la carta en presencia de mi madre; pero, apenas hube leído estas líneas, caí en un estado de postración tal, que no fui capaz ya de sostener siquiera el pequeño trozo de papel que contenía la carta.

Mis manos se agitaron como hojas movidas por un vendaval. ¿Qué digo...? El cuerpo entero, convertido en un manojo de nervios desatados, quedó sacudido por un fuerte temblor, sintiéndome traspasado de miedo y de vergüenza. Mis labios temblaban igualmente, y un sudor frío comenzó a cubrir mi frente; debía presentar una palidez mortal.

Intenté, con todo, dominar mi emoción. Me llevé una cucharada de café a la boca, pero antes de que hubiera conseguido acercarla a ella, me atraganté y la dejé caer. Los bandazos de un barco en medio de la tormenta me hubieran producido sin duda menos náuseas. Y ni siquiera Macbeth, ante la sombra de Banquo, debió sentirse tan aterrado.

¿Qué podía hacer? ¿Aceptar ser tratado de sodomita ante los ojos del mundo, deshonrado, perseguido, tal vez condenado, o abandonar al hombre que amaba más que a mi propia vida? A cualquiera de estas dos eventualidades, preferiría yo la muerte.

—Sin embargo, acaba usted de decirme que hubiera deseado gritar a todo el mundo su amor por el pianista.

—Sí. Es cierto, y no me desdigo de ello. ¿Pero ha entendido usted alguna vez las contradicciones del corazón humano?

—Sin embargo, usted no considera la sodomía como un crimen, ¿o sí?

—¡No...! En modo alguno. ¿Hago con ello algún mal a la sociedad?

—Entonces, ¿por qué, se sentía usted tan aterrado?

—Porque es preciso salvar a todo precio las apariencias. Guardar la respetabilidad.

—Sí, es cierto. Tiene usted razón. ¿Y sabe quién era el autor de este billete?

—¿Quién...? El cerebro se me llenó de nombres en aquel momento. Eran espectros innumerables y terribles, y todos ellos apuntando hacia mí con su dardo mortal. Llegué incluso a imaginarme que pudiera ser Teleny, que quería así probarme, y medir de este modo la extensión de mi afecto por él.

—Pero era la condesa. ¿No es así?

—Fue la primera persona en quien pensé. Teleny no era hombre a quien pudiera amarse a medias, y una mujer loca de amor es capaz de cualquier cosa; sin embargo, me parecía poco probable que una dama se atreviera a servirse de arma semejante. Además, se hallaba ausente de Londres. No, no podía ser la condesa.

¿Quién entonces? Todos y ninguno.

Durante varios días, los tormentos que padecí fueron tales, que creí volverme loco. Mi estado de nervios aumentó hasta el punto de que temía salir de mi casa por miedo a encontrarme con el autor de aquellas líneas abominables.

Como Caín, tenía la impresión de llevar mi crimen grabado sobre la frente. Creía ver una expresión de repugnancia en cada rostro que cruzaba. Me sentía señalado por todos con el dedo, mientras una voz, lo suficientemente fuerte para ser oída por todos, proclamaba: ¡He ahí a un sodomita!

Un día, dirigiéndome a mi oficina, oí detrás de mí los pasos de un hombre. Yo apreté el paso, y él hizo lo mismo. Eché entonces a correr. Y, de pronto, una mano se abatió sobre mi hombro. Yo creí desvanecerme de terror, y esperaba oír ya las terribles palabras: «Queda usted detenido en nombre de la ley, por sodomita». Y, sin embargo, no era más que un simple amigo que pretendía hacerme una pregunta sin importancia.

El solo ruido de la puerta me hacía echar a temblar, y la visión de una carta me llenaba de terror.

¿Era tal vez mi conciencia que me abrumaba de reproche? No, era simplemente el miedo, el más abyecto miedo, sin sombra de remordimiento. ¿Acaso no es cierto que un sodomita puede ser enviado a prisión?

No crea usted que me sentía acobardado, pero después de todo, ni el más valiente de los hombres es capaz de hacer frente a un enemigo que no se muestra. La idea de que la mano de un enemigo desconocido se halla siempre suspendida sobre vuestra cabeza, dispuesta a asestar el golpe mortal, resulta insoportable. Hoy día puede ser usted un hombre sin tacha, y mañana, una palabra, una simple palabra pronunciada en la calle contra usted por un bribón solapado, o una pequeña noticia en un periódico cualquiera por uno de esos impertinentes periodistas, puede terminar con su reputación para siempre.

—¿Y su madre...?

—Cuando abrí la carta, se hallaba distraída, y no reparó en mi palidez hasta algunos minutos después. Yo le dije que no me sentía bien y, al observar las gotas de sudor que bañaban mi frente, no le costó demasiado trabajo creerme. Llegó a temer, incluso, que hubiese podido coger alguna enfermedad.

—¿Y Teleny, que dijo de ello?

—No pasé por su cada aquel día, y le envié un mensaje para anunciarle que iría a verlo al día siguiente.

¡Pasé una noche terrible! Me mantuve en vela tanto tiempo como me fue posible, temiendo meterme en la cama y ser atrapado en ella. Finalmente, fatigado, y no pudiendo aguantar más el sueño, me desvestí y me acosté; pero mi cama me hacía el efecto de una máquina eléctrica, que alteraba todos mis nervios, sin conceder reposo a mis músculos.

Me agité durante algún tiempo, revolviéndome entre las sábanas; sentía cómo la locura iba ganando terreno en mí; entonces, levantándome, fui de puntillas hasta el comedor y me subí a mi cuarto una botella de coñac. Me bebí medio vaso y volví a meterme al lecho. Poco habituado como estaba a las bebidas alcohólicas, caí pronto profundamente dormido, pero ¡que sueños! Me desperté en mitad de la noche, soñando que Catherine, nuestra sirvienta, me acusaba de haberla asesinado, mientras yo me hallaba ante un tribunal.

Me levanté, y me serví otro vaso de coñac. No me ayudó a dormir pero si me hizo olvidar un poco de mi gran preocupación.

Tan pronto se hizo de día, envié un mensaje a Teleny para decirle que ese día tampoco podría ir a verle, por más que ardiese en deseos de hacerlo; pero, al día siguiente, viendo que tampoco iba ir a visitarlo, tomó él la iniciativa.

Sorprendido al observar el cambio físico y moral que se había operado en mí, pensó de inmediato que algún amigo común lo había calumniado; para tranquilizarlo, le enseñé la horrible carta, que me producía el mismo efecto que tener en la mano una víbora.

Aunque era mucho más experto que yo en estas cuestiones, Teleny frunció las cejas y su cara adquirió un tono lívido. Luego, tras haber permanecido un momento pensativo, examinó la carta, y se llevó el sobre a la nariz para reconocer el olor. Una expresión gozosa sustituyó entonces la expresión primera.

—¡Reconozco este perfume...! ¡Es fragancia de rosas! No tengas ningún miedo. Ya sé de quién proviene.

—¿De quién?

—Adivínalo.

—De la condesa.

Teleny volvió a fruncir el ceño.

—¿La condesa? ¿Y cómo la conoces?

Se lo conté todo, y cuando hube terminado, me tomó entre sus brazos, señal de que me perdonaba, y me dijo:

—Camille, he intentado olvidarte por todos los medios posibles pero ya ves que no lo he conseguido. La condesa está a mucha distancia de aquí, y jamás volveremos a vernos.

Mientras él pronunciaba estas palabras, mis ojos se detuvieron en un hermoso brillante amarillo, una «piedra de luna» que llevaba en su dedo meñique.

—Es un anillo de mujer. ¿Fue ella quien te lo dio?

Él no respondió.

—¿Querrías llevar éste en su lugar?

El anillo que yo le ofrecía era un camafeo antiguo, exquisitamente trabajado y rodeado de brillantes, pero cuyo principal mérito, a mis ojos, era el de representar la cabeza de Antínoo.

—Pero es una joya de un precio inestimable, porque esta cabeza se te parece.

Yo me eché a reír.

—¿Por qué te ríes?

—Porque esos rasgos son los tuyos.

—Es muy posible. Nuestras caras, como nuestros gustos, son similares. ¿Quién sabe...? Tal vez tú eres mi «doble», pero en ese caso, la desgracia, caería sobre uno de nosotros.

—¿Por qué motivo?

—Se dice en mi país que un hombre jamás debe encontrar

a su alter ego [*], ya que esto traerá la desdicha a uno de los dos, si no a ambos.

[*] *Álter ego: se refiere a una persona que por sus rasgos físicos o su personalidad, puede ser confundido con otra.*

Al oír esto, yo me estremecí. Seguidamente, añadió sonriendo:

—Ya sabes que yo soy muy supersticioso.

—Pase lo que pase, que este anillo, como el de la Reina Virgen, sea tu mensajero si alguna vez la desgracia llega a separarnos. Envíamelo, y te juro que nada podrá separarme de ti en ese momento.

El anillo estaba ya en su dedo, y yo en sus brazos. Un beso selló nuestro pacto.

Entonces él comenzó a murmurarme al oído palabras de amor, con una voz dulce, cadenciosa, parecida al eco lejano de los sonidos que se escuchan en los sueños, que luego uno recuerda de manera borrosa. Estas palabras ascendían a mi cerebro como el aroma embriagador de un filtro amoroso. Todavía las oigo resonar en mis oídos, y al recordarlas siento recorrer todo mi cuerpo un estremecimiento de insaciable lujuria. Me embarga el deseo insaciable que Teleny sabía despertar en mí, hasta abrasarme la sangre.

Se hallaba sentado a mi lado, con su hombro apoyado en mi hombro. Pasó primeramente su mano sobre la mía, tan suavemente que apenas llegué a sentirla; lentamente, sus dedos se enlazaron con los míos, como si deseara tomar posesión de mí, milímetro a milímetro. Luego, con una de sus manos, rodeó mi cintura, y con la otra mi cuello, mientras sus dedos se paseaban por mi hombro, provocándome deliciosas cosquillas.

Luego, nuestras mejillas se rozaron, y este contacto imperceptible me hizo sentir en todo el cuerpo, pero principalmente en la espalda, un agradable sobresalto de placer. Nuestras bocas se tocaban, y son embargo no intercambiábamos ningún beso; sus labios rozaban los míos, para hacerme aún más sensible la profunda afinidad de nuestras dos naturalezas.

El estado de nerviosismo de los últimos días había sobreexcitado mis sentidos. Yo aspiraba a sentir ese placer refrescante que alivia el ardor imperioso de la sangre y calma el cerebro; pero Teleny parecía dispuesto a prolongar mi fiebre, a hacerme alcanzar gradualmente esa sensualidad desesperada que toca con la locura.

Finalmente, cuando nos fue ya imposible esperar por más tiempo, arrojamos al suelo nuestras ropas, y, desnudos ambos, nos enlazamos como dos serpientes, intentando tomar cada uno lo más que podía de la carne del otro. Yo sentía como si todos mis poros fueran otras tantas pequeñas bocas que se apretaban contra él para besarlo.

—¡Tómame...! ¡Aplástame...! ¡Apriétame más fuerte! ¡Más fuerte aún! Para que pueda gozar de todo tu cuerpo. ¡Haz conmigo lo que quieras! —Murmuré yo.

Mi verga, dura como una barra, se deslizó entre sus piernas donde, sintiéndose presa, comenzó a soltar algunas gotas viscosas.

Viendo mi terrible tortura, Teleny se apiadó de mí, e inclinando su cabeza sobre mi pene, comenzó a lamerlo con suavidad.

Yo me negué a gustar aquel placer a medias, es decir, a gozar yo solo, por lo que cambiamos ambos de posición, y en un abrir y cerrar de ojos yo encontré mi boca llena con el mismo manjar que llenaba la suya.

Pronto esa leche acre como la savia de la higuera o del eucalipto, ese jugo espeso que parece salir del cerebro o de la médula espinal, saltó en un chorro, y una corriente de fuego recorrió todas mis venas, mientras mis nervios vibraban como por efecto del choque de una batería eléctrica.

Cuando hube absorbido la última gota del fluido espermático y, en el paroxismo del placer, el delirio de la sensualidad se hubo calmado, me sentí totalmente roto, casi moribundo de placer y un agradable sopor me invadió durante algunos momentos, mientras mis ojos se cerraban en un dichoso olvido.

Cuando volví a recobrar mis sentidos, mi mirada volvió a fijarse en el detestable anónimo. Todos los antiguos temores volvieron a saltar en mi cerebro, y me pegué contra Teleny, como buscando protección.

—Sin embargo —le dije—, aún no me has dicho el nombre del autor de la carta.

—¿El autor? El hijo del general, naturalmente.

—¡Cómo! ¿Bryancourt...?

—Claro. ¿Quién puede ser sino él? Nadie más que él sospechaba de nuestro amor. Estoy seguro que Bryancourt, nos ha estado vigilando. Por otro lado, no queriendo servirse de papel con membrete suyo —añadió tomando en su mano la nota— y no teniendo, al parecer, otro a mano, escribió la nota en un trozo de vitela, cortada de una hoja de dibujo. ¿Qué otro que un pintor podía hacer esto...? Al tomar tantas precauciones no ha hecho más que denunciarse. Además, huélelo. Bryancourt está tan saturado de esencia de rosas, que todo lo que toca queda impregnado de ese perfume.

—Es verdad.

—Además, tengo que añadir que es perfectamente capaz de una cosa tal malvada como ésta, aunque en el fondo no tenga mal corazón.

—¡Lo amas...! —Exclamé yo, lleno de furiosos celos, y tomándolo por el brazo.

—No; no lo amo. Simplemente le hago justicia. Por otra parte, tú lo conoces desde la infancia y debes admitir que no es un perverso.

—Pero está loco.

Teleny, sonriendo, dijo:

—¿Loco? ¿Y quién puede decirlo? Tal vez un poco más que el resto de los hombres.

—¿Tú crees que todos los hombres tienen el cerebro trastornado?

—Conozco un solo hombre que está verdaderamente sano de espíritu, y es mi zapatero. Sólo está loco una vez por semana, los domingos, cuando se emborracha.

—Prefiero no hablar de locura. Mi padre murió loco, y supongo que tarde o temprano...

Pero Teleny, interrumpiéndome, en tono bastante preocupado, dijo:

—Debes de saber que Bryancourt ha estado durante mucho tiempo enamorado de ti.

—¿De mí...?

—Sí, pero él se imagina que tú lo detestas.

—Bueno... En parte tiene razón, porque es cierto que nunca me ha gustado mucho.

—Ahora que su capricho por ti ha pasado, supongo que querría tenernos a los dos, para formar una especie de trinidad amorosa.

—¿Y crees que ha tomado el camino más adecuado para llegar a tal fin?

—En el amor, como en la guerra, todo está permitido, y tal vez para él, como para los jesuitas, el fin justifica los medios. En todo caso, puedes olvidar por completo esa carta, y pensar que no fue más que el fruto de un mal sueño.

Cogiendo entonces aquel miserable trozo de papel, lo colocó sobre las cenizas del brasero. Aquella carta maldita se retorció, chasqueó, y una llama instantánea la redujo a la nada. Pronto no fue más que un pequeño jirón negro, aplastado, recorrido por minúsculas serpientes de fuego persiguiéndose y devorándose entre sí. Una bocanada de aire lo elevó luego por el tiro de la chimenea, hasta desaparecer como un pequeño demonio negro.

—¡Hum...! Me pareció como si nos hubiese lanzado una amenaza antes de desaparecer —aclaré a mi amigo—. Sólo espero que Bryancourt no se interponga jamás entre nosotros dos.

—Podemos desafiarlo —respondió él sonriendo.

Y tomando a la vez mi pene y el suyo, se puso a menearlos

a ambos.

—Éste es el exorcismo más eficaz que se emplea en Italia contra el mal de ojo. Pero no tengas miedo, porque sin duda en este momento, Bryancourt ya nos ha olvidado, y ni siquiera recuerda esa absurda nota.

—¿Qué te hace suponer eso?

—Que ha encontrado otros amores.

—¿Quién? ¿El oficial de colonias?

—No. Es un joven árabe. Es muy fácil de adivinarlo, viendo el cuadro que está pintando en este momento. Hace algún tiempo, supongo que pensando en nosotros, no pensaba sino en realizar un cuadro sobre el tema de las tres Gracias.

Algunos días más tarde, encontramos a Bryancourt en el Foyer de la Ópera. Tan pronto nos divisó, giró la cabeza, pretendiendo no habernos visto. Yo iba a hacer lo mismo, pero Teleny me dijo:

—No; nada de eso. Vamos a hablarle, para que nos dé una explicación. En estas cosas lo mejor es no demostrar el menor temor. Enfrentarse astutamente al enemigo es tener ganada media batalla.

Y diciendo esto, me condujo hacia Bryancourt, y le tendió la mano:

—Y bien, ¿qué es de tu vida últimamente? Hace un siglo que no nos vemos.

—¡Naturalmente...! —Replicó él—. Los nuevos amigos hacen olvidar a los antiguos.

—Y lo mismo pasa con los nuevos cuadros y los viejos. Y a hablando de pintura, ¿con qué estás trabajando en tu caballete últimamente?

—¡Oh...! ¡Es algo soberbio...! Un tema que causará mucha sensación.

—¿Qué tema?

—Jesucristo.

—¿Jesucristo...?

—Así es. Desde que conozco a Ahmed, he podido hacerme

una idea exacta de la fisonomía que tenía el Salvador. A vosotros también os encantaría si vieras sus ojos negros, magnéticos y hechizadores, con sus largas pestañas de color azabache.

Teleny, con extraña sonrisa, le preguntó:

—¿Nos encantaría qué...? ¿Ahmed o Cristo?

Bryancourt, encogiéndose de hombros, aclaró:

—¡Cristo, naturalmente! Podríais, al verlo, daros cuenta de la influencia que debió tener sobre las masas. Mi sirio no tiene siquiera necesidad de dirigiros la palabra, porque con sólo levantar los ojos podéis penetrar el fondo de sus pensamientos. Cristo no se desgañitaba para hablar a las muchedumbres. Se limitaba a escribir sobre la arena, para someter el mundo a su ley. Así que, como acabo de deciros, representaré a Ahmed como el Salvador, y a ti, dijo refiriéndose a Teleny, como Juan, el discípulo amado, pues la Biblia dice claramente, y repite una y otra vez, que amaba a su discípulo favorito.

—¿Y cómo lo pintarías?

—Cristo estará de pie, abrazado a Juan, que se aprieta contra él y apoya su cabeza sobre el pecho del amado. Habrá, naturalmente, algo de dulce femenino en el mirada y la actitud del discípulo; pero tendrá tus ojos violeta de visionario y también tu boca voluptuosa. Acostada a sus pies habrá una de las numerosas magdalenas adúlteras, pero Cristo y Juan, la contemplarán con un aire a la vez de desprecio y de piedad.

—¿Crees tú que el público captará tu idea?

—Cualquier persona con un mínimo de sentido común, lo entenderá. Por otro lado, y para aclarar aún más mi idea, le añadiré una pareja: Sócrates, el Cristo griego, acompañado de su discípulo Alcibíades. La mujer, en este caso, será Jantipa, esposa de Sócrates

Y volviéndose hacia mí, añadió:

—Tienes que prometerme venir unos días a posar como Alcíbíades.

Fue Teleny el que contestó.

—Sí, pero con una condición.

—¿Cuál?

—Que me respondas a una pregunta.

—De acuerdo.

—¿Por qué escribiste esa nota a Camille?

—¿Qué nota?

—Confiésalo. No disimules.

—¿Y cómo sabes que fui yo?

—La misiva llevaba el sello de tu perfume.

—Muy bien. Como ya sabes que fui yo, hablaré francamente. Estaba celoso.

—¿Celoso de quién?

—De los dos. Sí, de vosotros dos. ¡Podéis reíros cuanto queráis, pero es la verdad...!

Y dirigiéndose a mí:

—Te conocí cuando ambos éramos unos niños, y jamás obtuve nada de ti —y al decir esto hizo chasquear la uña del pulgar contra sus dientes—, mientras que él llegó, vio y venció. Ya llegará el momento. Pero mientras tanto, aclaro que no os guardo ningún rencor, y espero que tampoco vosotros a mí, por la estúpida amenaza.

—¿Tú sabes los días tan terribles y las noches sin sueño que me has hecho pasar?

—¡Ah...! Lo siento, de verdad. ¡Perdóname...! Pero ya sabes que estoy un poco flojo de tuercas, al menos eso es lo que todo el mundo me dice —exclamó, cogiéndonos a ambos de la mano—. Bueno, y ahora que hemos vuelto a ser buenos amigos, es preciso que vengáis a mi próxima recepción.

—¿Cuándo será? —Preguntó Teleny.

—Dentro de nueve días. En cuanto a ti, Camille, te presentaré a una banda de gentiles compañeros que estarán encantados de conocerte, y que muchos de ellos se asombraban de que no formaras parte de nuestros grupos desde hace tiempo.

La semana pasó muy rápidamente, y la alegría del

acontecimiento me hizo olvidar la terrible ansiedad que me había producido la carta de Bryancourt.

Unos pocos días antes de la fecha fijada para la fiesta, Teleny me preguntó que cómo nos vestiríamos.

—¿Cómo? ¿Pero es que es una fiesta de máscaras?

—Cada uno se disfrazará según su fantasía y sus gustos. Unos de soldados, otros de marineros; los habrá que vayan vestidos con mallas de danza, y otros, sencillamente, de caballeros. Hay individuos que, aunque enamorados de su propio sexo, les gusta vestirse de mujeres. No siempre «el hábito hace al monje» resulta ser un proverbio veraz, ya que, entre los pájaros, por ejemplo, es el macho el que despliega su hermoso plumaje ante la hembra, para cautivarla.

Sonriendo, le pregunté:

—¿Con qué disfraz te gustaría a ti verme? Porque eres tú el único a quien deseo complacer.

—Con ninguno.

—¿Pero cómo ninguno?

—¿Te daría vergüenza mostrarte desnudo?

—¡Estas loco...!

—Bueno, pues si no, en traje de ciclista; es un vestido que hace resaltar muy bien las formas.

—Bien... ¿Y tú?

—Yo siempre me visto como tú. Ya los sabes.

La tarde en cuestión, un coche de alquiler nos condujo al taller del pintor, cuya entrada estaba, si no del todo a oscuras, al menos levemente iluminada. Teleny llamó a la puesta, dando tres golpes y, un instante después, el mismo Bryancourt salió a abrir.

Cualesquiera que fueran las manías del hijo del general, sus maneras nunca dejaban de ser las de un perfecto caballero. Su imponente y perfecta fisonomía hubiera cuadrado perfectamente a la majestad de un gran rey; y su cortesía no tenía rival. Era totalmente cierto que poseía todas las ventajas externas que, según el escritor Sterne, inspiran el amor a primera vista.

Cuando estaba a punto de introducirnos en la gran sala, Teleny lo detuvo, diciendo:

—¡Espera un momento...! ¿No podría Camille echar previamente una ojeada a los componentes de tu harén? Ya sabes que todavía es principiante en la secta de Príapo. Yo soy su primer amante.

—Sí, lo sé —replicó Bryancourt, dando un suspiro —. Y debo decir, sinceramente, que podrías muy bien no ser el último.

—¡Un momento...! No estando acostumbrado a este tipo de revelaciones, ten en cuenta que podría muy bien emprender ahora mismo la huida como José hizo con la esposa de Putifar [*].

[*] Putifar: oficial egipcio, jefe de la guardia del faraón

—Es verdad. Por favor, venid, por aquí.

Y, diciendo esto, nos condujo por un estrecho pasadizo que llevaba a una escalera de caracol. Subimos, y atravesamos un corto pasillo para entrar en una estancia con un palco acristalado al final.

—Desde aquí podréis ver sin ser vistos. Pero no debéis estar mucho tiempo aquí porque la cena va a ser servida muy pronto.

Una vez que me hube acomodado en aquella especie de cabina, y tras echar una primera mirada sobre la sala, quedé durante un momento, si no deslumbrado, sí al menos estupefacto y maravillado, sintiéndome transportado a un país de hadas.

Un millar de lámparas de las más diversas formas difundían su luz en el estudio que estaba tan iluminado que deslumbraba la visión. También había velas de cera sostenidas sobre cráneos japoneses o sobre candeleros de bronce o plata cincelados; lámparas octogonales de forma estrellada, sustraídas de mezquitas y sinagogas de Oriente; trípodes de hierro adornados con fantásticas labores de forja; y candelabros dotados de espejos reflectantes, que orientaban su luz sobre los dorados cuadros holandeses o las cerámicas de Caste-Durante.

Numerosas pinturas, representando las más lascivas escenas, cubrían los muros de la gran sala, pues Bryancourt, dueño de una inmensa fortuna, pintaba sólo para su propio entretenimiento. Muchas de las escenas eran solamente esbozos sin concluir, consecuencia de la versátil imaginación del autor, que no podía permanecer demasiado tiempo con un mismo tema, ni entretenerse demasiado con un mismo género de pintura.

En algunas de sus imitaciones de frescos libidinosos de Pompeya, había intentado recoger los secretos del arte antiguo. Muchas de sus pinturas estaban ejecutadas con minucioso cuidado, y presentaban la impronta poderosa de un Leonardo Da Vinci; otras, en cambio, parecían pasteles de Greuze, o estaban ejecutadas con las delicadas tintas del pincel de un Watteau. Las colores rojizos presentaban a veces los matices dorados de la escuela Veneciana, mientras que otras...

Mi oyente, parecía que estaba cansado de la exposición que estaba haciendo. Me interrumpió, diciendo:

—Por favor, déjese de explicaciones sobre los cuadros de Bryancourt, y hábleme de las escenas más realistas.

—Bien. Tumbados sobre sofás tapizados con antiguos damascos de tintas pálidas y dotados de enormes cojines hecho con casullas bordadas en oro y plata, y sobre divanes persas y sirios, recubiertos con pieles de león y pantera, o bien, sobre colchones recubiertos con pieles da gatos salvaje, jóvenes de hermoso rostro, casi todos desnudos, se reunían en grupos de dos o tres, adoptando las posturas más lascivas que la imaginación pueda concebir, y tales como sólo es posible encontrar en casas de lenocinio de varones de la vieja España o del vicioso Oriente.

El conjunto era digno de un cuadro, y, como ya antes he dicho, el taller contenía un museo digno de Sodoma y

Babilonia. Telas, estatuas, bronces, escayolas, terracotas, obras maestras del arte de Pafos, poemas sobre el dios Príapo que estaban colocados sobre brocados de seda, mezclados con relucientes cristales, cerrados esmaltes, porcelanas del Japón, yataganes [*] persas, alfanjes turcos con la empuñadura y la vaina llenas de hermosas filigranas de plata y oro, e incrustadas de coral y turquesa, y otras piedras preciosas aún más ricas y brillantes.

[*] *Yatagán: sable o alfanje usado en oriente, que tiene doble curvatura.*

Enormes vasos de porcelana china dejaban asomar helechos de alto precio, y admirables palmeras indias, recubiertas de plantas colgantes, mientras riquísimas macetas de Sevres cobijaban en su interior flores de las selvas americanas, de aspecto algodonoso. Desde el techo un gran tamiz lleno de pétalos de rosas rojas y rosadas dejaba caer parte de su contenido de tanto en tanto, mezclando su embriagador perfume con el que, en blancas espirales, se elevaba desde los abundantes braseros de incienso.

Los sonidos de esta atmósfera sobrecargada, el murmullo de los suspiros, los gritos de placer y el ruido de los besos, testimonio de una lujuria joven e insaciable, me inflamaban el cerebro. Mi sangre ardía a la vista de aquellas actitudes lascivas que componían enloquecedores priapeos, de aquel refinamiento alimentado por el paroxismo del escarnio, cuya consecuencia no podía ser otra que el hartazgo, la distensión de todos los músculos y la fatiga física y cerebral de los actores de aquellas escenas, cuyos muslos desnudos se hallaban sembrados de gotas de esperma y de sangre.

Me parecía hallarme perdido en una de esas selvas tropicales en las que todo lo que es bello procura una muerte instantánea, y en las que enormes monstruos reptiles, entrelazados, adoptan la forma de atractivas guirnaldas de flores, o en las que las más bellas corolas, al abrirse, destilan gota a gota un rocío envenenado.

Todo en aquella escena parecía hecho para complacer a la vista y hacer hervir la sangre de deseo. De repente, extrañado, dije a Teleny:

—Mira allí. También hay dos mujeres.

—No —respondió Teleny—. Las mujeres nunca son admitidas en nuestras reuniones.

—Pero, ¡mira esa pareja...! Ese hombre desnudo que hunde su mano entre las piernas de la muchacha que se aprieta contra él.

—Son dos hombres.

—¿Cómo...? Y ¿también esa otra de tez brillante y cabellos teñidos de rojo veneciano...? ¿No es ésa acaso la vizcondesa de P...?

—Sí, la Venus de Ille, como habitualmente se le llama, y el vizconde está allí, escondido en aquel rincón. ¡La Venus de Ille es un hombre!

Yo me quedé estupefacto. Lo que yo había tomado por una mujer se asemejaba a un bronce soberbio, tan pulido como una de esas estatuillas japonesas, moldeadas en cera, pero coronadas con una cabeza de gallina, completamente maquillada y empolvada.

Cualquiera que fuera el sexo de aquella extraña criatura, «ella» o «él» llevaba traje largo tornasolado que, a plena luz, presentaba un color oro pálido, y entre las sombras adoptaba un tinte verde oscuro, con los guantes y las medias de seda hechos del mismo material que el traje, y tan estrechamente ceñidos a los brazos de redondeadas formas y a las piernas perfectamente torneadas, que toda su figura presentaba la firmeza de una estatua de bronce.

—Y aquella otra de la gargantilla y los broches negros, envuelta en un vestido de terciopelo azul, con la espalda y los brazos desnudos. ¿Esa en apariencia hermosa mujer, es también un hombre?

—Sí. Es un auténtico marqués italiano, como podrás comprobar por el escudo que tiene grabado en su abanico.

Perteneciente además a una de las rancias familias romanas. Pero, ahora debemos de bajar, que Bryancourt empieza a hacernos señas para que lo hagamos.

—¡No, no...! —Repliqué yo bastante avergonzado—. Es mejor que nos vayamos.

Y, sin embargo, aquel espectáculo me producía una excitación tal que, al igual que la mujer de Lot, me sentía como petrificado, sin poder separar de él los ojos.

Teleny, cogiéndome la mano suavemente, me dijo:

—De acuerdo. Lo haremos si es eso lo que quieres, pero estoy convencido de que si nos marchamos ahora lo lamentarás más tarde. Además, ¿por que motivo estás preocupado? ¿Qué es lo que temes? ¿Es que no estoy yo contigo? Nadie podrá separarnos. Permaneceremos juntos toda la noche, ya que aquí no ocurre como en los bailes normales, a donde los maridos llevan a sus mujeres para dejarlas manosear por el primer desconocido que viene a solicitar un vals. Ten la completa seguridad de que el espectáculo de todos estos excesos servirá de estimulante para nuestros propios placeres.

—Entonces, bajemos —dije yo—. Pero ¡un momento! Ese hombre con una túnica gris perla, ¿no es el sirio? Tiene unos hermosos ojos tallados en amatista.

—En efecto, ése es Ahmed Effendi.

—¡Espera un poco...! Ese con quien habla, ¿no es el padre de Bryancourt?

—Sí; el general asiste a veces, por curiosidad, a las fiestas de su hijo. Vamos, ¿vienes ya...?

—Sí, pero primero, dime quién es aquel hombre de los ojos ardientes, que me recuerda a la encarnación misma de la lujuria. Es como si ejerciese algún supremo magisterio en el arte de todo lo voluptuoso. Su máscara me es conocida, y, sin embargo, no sabría decir dónde lo he visto antes.

—Es un joven de muy buena familia que, tras haber gastado toda su fortuna en increíbles e innumerables excesos, pero sin llegar a dañar su salud, se alistó en los spahis [*] para ver qué nuevos placeres podía procurarle Argelia. ¡Es un verdadero volcán! Mira, viene Bryancourt hacia nosotros.

[*] *Spahi: miembro de una tropa de caballería de élite que generalmente provenía del Magreb.*

—Pero, ¿es que pensáis pasaron toda la noche en este oscuro rincón?

—Camille tiene algo de vergüenza y no se atreve a bajar —respondió Teleny.

—Es ese caso, será mejor que os pongáis las máscaras. ¡Venid conmigo!

El pintor nos llevó casi arrastrándonos al lado de una preciosa mesita. Allí cogió dos mascarillas de terciopelo negro y nos las colocó a cada uno.

El anuncio de que la cena estaba ya servida en la pieza vecina interrumpió todos los juegos.

Al entrar nosotros en el taller, la visión de nuestras oscuras vestimentas acompañadas de nuestras negras máscaras, produjo en la concurrencia el efecto de un corte en sus conversaciones y risas. Varios jóvenes, no obstante, nos rodearon al poco, algunos de ellos viejos conocidos, para darnos la bienvenida.

Después de algunas preguntas, Teleny fue pronto reconocido y su máscara hubo de desaparecer, pero pasó aún un buen rato antes de que alguien pudiera adivinar mi identidad. Mientras tanto, yo escrutaba la parte media de los hombres desnudos que me rodeaban, muchos de los cuales tenían un vello tan espeso y extendido que llegaba a cubrirles una parte del vientre y de los muslos. Este espectáculo, totalmente nuevo para mí, me excitaba hasta el punto que a duras penas podía refrenar mis deseos de empuñar aquellos órganos tentadores. De no ser por mi amor a Teleny, creo que no hubiera hecho otra cosa en todo el tiempo.

Un pene, en concreto, el del vizconde, provocaba en mí una profunda admiración. Su tamaño era tal que, de haberlo poseído cierta dama romana, jamás hubiera tenido que recurrir a los asnos. Por esta razón, el vizconde aterrorizaba a todas las prostitutas, y se contaba que en un ocasión, estando en el extranjero, había reventado a una desgraciada, al querer hundir entero su instrumento en la vulva de aquélla. Le había roto el tabique que separa la vagina del conducto anal de tal modo, que la pobre criatura quedó traspasada.

Su amante, sin embargo, se le sentaba encima sin el más mínimo daño, pues tenía una de las naturalezas más elásticas, tanto naturales como artificiales, que debían existir en el mundo. El joven travestí, se había dado cuenta que yo parecía dudar de la naturaleza de su sexo, por lo que levantó ante mí sus faldas, mostrándome un soberbio pene rosado y blanco, rodeado de un abundante bosque de vello de oro.

En el preciso momento en que todo el mundo me pedía que me desprendiese de mi máscara, y yo me apresuraba a complacer sus deseos, el doctor Charles, habitualmente llamado por todos Carlomagno, que se frotaba contra mí como si fuera un gato, me tomó de repente entre sus brazos y me besó transportado.

—¡Bien...! Bryancourt, le felicito por su nueva adquisición. Ninguna presencia podía causarme más placer que la de Des Grieux.

Tan pronto hubieran sido pronunciadas esta palabras, una mano cayó sobre mí, para arrebatarme la máscara, y diez bocas se abalanzaron contra la mía para besarme, mientras otros tantos pares de manos me acariciaban por todas partes.

Bryancourt, intentando defenderme de este ataque, me cubrió con su cuerpo y dijo:

—Por esta noche, Camille es como la guinda que adorna el pastel, algo que todo el mundo puede ver, pero debe abstenerse de tocar. René y él se hallan todavía en plena luna de miel, y esta fiesta se celebra precisamente en su honor y también en el de mi nuevo amante, Ahmed Effendi.

Luego, girando en redondo, presentó a todo el mundo al joven sirio, que posaba para él como modelo de Jesucristo.

—Y ahora —dijo—, la cena.

La sala donde nos hizo entrar estaba amueblada como un comedor de los antiguos romanos, con lechos o sofás en vez de sillas.

—Amigos míos —dijo el dueño de la casa—, la cena no es una cosa extraordinaria. El menú no es variado ni abundante, pero los platos son nutritivos y fortificantes. Pero espero que, merced a los vinos generosos de que la mesa esta provista, y a las bebidas estimulantes de que también disponemos, podréis volver a vuestros placeres con renovadas energías.

En ese momento del relato, mi interlocutor, dijo:

—Supongo que, a pesar de estas palabras, sería una cena digna de Lúculo [*].

[*] Lúculo fue un destacado militar romano, convertido después en político. Aparte de sus triunfos guerreros era famoso por los banquetes que daba a sus amigos.

—Apenas puedo acordarme. Todo lo que recuerdo es que allí probé por primera vez una deliciosa sopa de cangrejos, y también una especie de arroz muy cargado de especias, hecho según una receta india; platos, estos dos, que me parecieron deliciosas.

Tenía en mi sofá a Teleny de un lado y del otro al doctor Charles, un tipo alto y hermoso, sólidamente construido, de grandes hombros y con una soberbia barba rubia, a la que debía su sobrenombre de Carlomagno.

Cuando el refrigerio tocó a su fin, las fuertes especias de los platos, mezcladas con el alcohol de las bebidas y la picante conversación, comenzaron a surtir efecto, encendiendo de nuevo la lujuria momentáneamente aplacada. De manera progresiva, los ocupantes de cada sofá fueron adoptando posturas cada vez más provocativas, y las bromas fueron subiendo de tono, así como las canciones, cuyo contenido iba creciendo en obscenidad, y los estallidos de alegría, cada vez más incontrolados. Los cerebros ardían de pasión y un agudo deseo comenzaba a agitar las carnes. Casi todos los convidados se hallaban desnudos, y los penes se mostraban túrgidos y duros, formando todo ello una especie de alboroto erótico.

Uno de los invitados comenzó a mostrarnos cómo debía hacerse una «Fuente de Príapo», es decir, al verdadera forma de beber champaña. Y tomando a un joven de Ganímedes, le hizo verter sobre la espalda de Bryancourt un hilo de vino espumoso, derramándolo por el pico de un ánfora de plata. El líquido resbalaba por el estómago hasta el vientre, inundando los rizos del toisón perfumado con esencia de rosas, por donde goteaba a lo largo del pene sobre la boca del hombre arrodillado ante él. Esta escena ofrecía una tal belleza clásica, que se tomó de ella una foto con luz eléctrica.

—Es una hermosa idea —dijo el spahi—, pero creo poder mostraros algo mejor.

—¿Qué cosa? —Preguntó Bryancourt.

—El modo como en Argelia se comen los dátiles y los pistachos. Si por casualidad quedan aún en la mesa, podemos probarlo.

El viejo general aprobó con la cabeza, regocijándose de antemano con la broma.

El spahi, después de hacer colocarse a gatas a su compañero de mesa, con la cabeza baja y las partes traseras levantadas, le fue deslizando en el ano los dátiles, que iba comiendo luego, a medida que el otro iba expulsándolos. Después de los cual, lamió con fruición el almíbar que le corría por entre la piernas.

Todo el mundo aplaudió entusiasmado y los dos amigos, evidentemente excitados, apuntaban al público con sus nerviosos instrumentos, presas de una agitación inusitada.

—Espera —le dijo el spahi a su camarada—, no te levantes aún, que no he terminado; déjame plantar ahora el árbol de la ciencia.

Dicho lo cual, montó sobre él, y empuñando su instrumento lo hundió en el agujero por donde había pasado los dátiles, haciéndolo entrar hasta el fondo de dos empujones. Mientras tanto, el bastón del sodomizado, excitado por la danza, tamborileaba sobre el vientre del amo, acompañado con su batir los embates del spahi.

El viejo general, lleno de lascivia y sin poder contenerse más, se levantó y dijo:

—Pasemos a los placeres pasivos, únicos lícitos a la gente de mi edad y de mi experiencia.

Y, sin más preámbulos, se puso a chupetear el glande del sodomizado, manipulándole el balano con una habilidad consumada.

El gozo que la montura del spahi experimentaba parecía indescriptible. Jadeaba con mucha fuerza. Era sacudido por convulsiones nerviosas. Tenía entrecerrados los ojos, los labios colgantes y la boca contraída. Por unos momentos, parecía que se iba a desmayar debido a la intensidad del placer que lo embargaba. Sin embargo, resistía, sabiendo que el spahi había adquirido en África el arte de permanecer en acción por tiempo indefinido. Su cabeza colgaba a veces como si las fuerzas lo hubieran abandonado, pero volvía a levantarla de nuevo, y abriendo los labios gritaba: «En mi boca, alguien que aproveche mi boca».

El marqués italiano, que se había despojado de sus ropas de mujer, sólo conservaba sobre sí un collar de diamantes y un par de medias de seda negra; colocando dos taburetes a izquierda y derecha del viejo general, se colocó sobre ellos con las piernas abiertas, y, apoyándose en el anciano succionador, dio cumplimiento a los deseos del succionado.

A la vista de este cuadro de infernal lubricidad, la sangre de todos comenzó a hervir. Cada uno ardía por alcanzar un goce similar al de aquellos cuatro hombres.

Los penes de la concurrencia no sólo estaban ahogados de sangre, sino como una barra de hierro, hasta el punto de que la erección se hacía casi dolorosa, retorciéndose todos como verdaderos condenados. Yo, por mi parte, poco habituado como estaba a semejantes cuadros, rugía de placer, enloquecido por los besos de Teleny y los toques que el doctor me prodigaba, paseando sus labios por la planta de mis pies.

Finalmente, y al ver los vigorosos embates del spahi y el ardor con que el general succionaba y el marqués era succionado, comprendimos que se acercaba el momento supremo para los cuatro a un tiempo, y todos, como recorridos por un mismo fluido eléctrico, gritamos:

—¡Ya les viene! ¡Ya les viene!

Las parejas se besaban, frotaban sus carnes desnudas, se manoseaban, buscando nuevos excesos de lujuria que inventar.

Cuando el spahi retiró su órgano ya flácido del conducto de su amigo, el sodomizado cayó sin conocimiento, cubierto a la vez de sudor, de almíbar, de esperma y de baba.

El spahi, encendiendo tranquilamente un cigarrillo, con sonrisa satisfecha, dijo:

—¡Ah...! ¿Qué placeres puede haber comparables a los de las Ciudades de la Llanura? Los árabes están en lo cierto. Ellos son maestros en este arte. Porque entre ellos, si bien no hay hombre que sea pasivo durante su edad madura, lo es durante su pubertad, y luego ya de anciano, cuando ya no puede ser activo. Al revés que nosotros, han conseguido, por medio de una larga práctica, prolongar el placer por tiempo ilimitado. Sus instrumentos, de hecho, no son enormes, pero, cuando se yerguen, adquieren majestuosas proporciones, y suelen realzar su propio placer mediante la satisfacción que proporcionan al otro. Nunca os inundarán con un torrente de esperma, pero os humedecerán con unas pocas gotas espesas que queman como el mismo fuego. ¡Qué suave y reluciente es su piel...! ¡Cuán ardiente es la lava que corre por sus venas...! No son hombres, son leones, y rugen en medio del placer.

—Supongo que debe usted haber practicado mucho.

—Así es. Para eso me alisté, y debo decir que me divertí como jamás lo hubiese pensado.

Mostrando entonces encima de la mesa una botella que había contenido kummel, dijo:

—¿Veis esa botella? Podría introducirla en mi trasero y gozar con ella maravillosamente.

—¿Si...? ¿Quieres intentarlo? —Dijeron al unísono varias voces.

— ¿Y por qué no?

—No; no lo intentes —dijo el doctor.

—¿Por qué? ¿Acaso le asusta?

—Nada de eso. ¡Es un crimen contra natura! —Dijo el médico riendo.

—Con lo que la cosa —añadió Bryancourt —pasaría de ser un acto de «sodomita», a ser un acto de la llamada «botellería».

Sin añadir palabra, el spahi se inclinó, apoyó la cabeza en el borde del sofá y dejó el trasero en el aire, bien expuesto ante nosotros. Dos hombres se sentaron, uno a cada lado, de modo que él pudiera colocar sus piernas sobre los hombros de ellos; después de lo cual, tomando sus propias nalgas, tan voluminosas como las de una gorda prostituta, las abrió con sus manos. Todos pudimos contemplar, de par en par abierta, la raja negra que divide los glúteos, y el agujero coronado de vello castaño, y hasta los millares de arrugas, crestas, repliegues y apéndice que rodean al orificio, comprendiendo, al ver la excepcional dilatación de su ano, que no había hablaba por hablar. Sabía que lo iba a conseguir.

—¿Quién quiere tener la amabilidad de humedecer y lubrificarme un poco los bordes? —Preguntó él.

Muchos fueron los que manifestaron deseo de procurarle

semejante satisfacción, pero ésta recayó, en el último término, en un joven caballero que se había presentado modestamente a sí mismo como «maestro de lengüeteos»

—Aunque por mis aptitudes —añadió el individuo—, bien podría titularme «profesor en el noble arte».

Era un tipo portador de un gran apellido, no solamente ligado a un alto linaje, sin mezcla alguna de sangre plebeya, sino que además había alcanzado por mérito propio un gran renombre en el ejército y la magistratura, e incluso en la política, las ciencias y las letras. Se arrodilló ante la palpitante masa de carne, apuntó con su lengua como si de una punta de lanza se tratara, y la hundió en el ano del spahi tan profundamente como pudo, luego, sacándola y pasándola plana por los bordes, como si se tratara de una espátula, los mojó a diestra y ampliamente con su saliva.

—Puedo decir —añadió con el orgullo de un artista que acaba de concluir una gran obra —que mi tarea ya está cumplida.

Otro de los presentes que tenía en sus manos la botella, después de haberla untado con grasa de paté, dio comienzo a la operación. Tarea nada fácil al principio, y que nadie creía posible en toda su amplitud. Pero el spahi sabía como abrir el orificio para hacerlo practicable al instrumento, y el operador, tras haber girado y colocado de diversas maneras la botella, dio un suave empuje final, y la botella acabó por penetrar.

—¡Ay, ay! —Dijo el spahi, mordiéndose los labios—, está un poco estrecho, pero entra.

—¿Es que le hago daño?

—Un poco, pero ya está.

Y comenzó a ronronear de placer.

No se veían ya ni pliegues, ni grietas, ni abultamientos; el ano estrechaba firmemente la botella. El rostro del spahi reflejaba a la vez que un gran dolor, un intenso placer; todos los nervios se hallaban en tensión, produciendo en todo el cuerpo unas leves convulsiones; en los ojos semicerrados, las pupilas habían desaparecido, y los dientes le rechinaban, según la botella iba penetrando más y más en su interior. Su pene, que hasta entonces había permanecido blando e inerte, volvió a adquirir sus proporciones primeras; las venas del instrumento se hincharon, y los músculos adquirieron redondez.

—¿Quiere usted que se los chupe? —Preguntó uno de la concurrencia al ver las convulsiones del órgano.

—No, gracias —respondió él—, con lo que siento ya tengo bastante.

—¿Y qué siente usted?

—Una irritación aguda, aunque agradable, que me llega desde el trasero hasta el mismo cerebro.

Su cuerpo comenzó a convulsionarse de tal modo, bajo el frotamiento que la prodigaba la botella, que parecía ir a partirse en dos. De repente el pene aumentó las sacudidas y se infló de modo desmesurado; los labios se abrieron y una gota de líquido incoloro humedeció los bordes.

—¡Vamos...! ¡Más de prisa...! ¡Hasta el fondo...! ¡Ya está...! ¡Ya me viene...!

Y se puso a gritar y exhalar risas histéricas, y a relinchar como un semental a la vista de una yegua. De su pene saltaron entonces unas pocas gotas de un esperma espeso, blanquecino y viscoso.

—¡Húndela...! ¡Húndela aún más...! —Gimió con voz moribunda.

La mano del operador se enervaba progresivamente como contagiada por las convulsiones y los jadeos del otro, propinado, en uno de sus movimientos, a la botella un fuerte empujón.

Excitados por el exceso de goce del spahi, reteníamos todos el aliento, cuando de repente, en este mismo momento y en medio del profundo silencio, sólo entrecortado por los gruñidos del placer del paciente, se oyó un ruido seco, y luego un grito de dolor y de pánico, a lo que siguió una exclamación de horror de todos los presentes. ¡La botella se había roto...! El gollete y una parte de la misma quedaron en la mano del operador, cortando y desgarrando los bordes del ano al partirse, mientras el resto quedaba completamente enterrado en las entrañas del spahi.

Todos gritamos asustados. Nadie había esperado ver aquel terrible espectáculo.

Al llegar aquí, quede en silencio, mientras revivía aquellos trágicos momentos.

Mi interlocutor, se estaba frotando las manos con nerviosismo. Luego, con impaciente voz, me dijo:

—Es increíble. ¡Qué terrible aventura! Y, dígame: ¿Qué pasó con el spahi?

—Murió, el pobre diablo. Se produjo primero un «sálvese quien pueda» en casa de Bryancourt. El doctor Charles mandó traer su maletín y comenzó a extraer los trozos de vidrio. Según pude enterarme, el desgraciado sufrió con gran entereza los más horribles suplicios sin exhalar un solo grito. Su valor, sin duda, era digno de admirar. Una vez terminada la operación, el doctor le aconsejó que se le transportara a un hospital, porque sospechaba la existencia de una infección intestinal. El herido protestó:

—¡Cómo...! Si voy al hospital tengo que exponerme a las burlas de las enfermeras y los doctores. ¡Eso nunca! No pienso ir.

—¡No se preocupe ahora por esas tonterías! —Objetó su amigo—. Se le puede declarar una inflamación y si eso ocurre...

—¿Una inflamación?

—Eso me temo.

—Pero, ¿es probable que eso ocurra?

—Es más que probable.

—¿Y en ese caso...?

La cara del doctor se ensombreció, pero no respondió.

—¿Puede llegar a ser fatal?

—Sí.

—Si es así, no se hable más. En cualquier caso, debo volver a mi casa para poner en orden mis cosas.

Lo acompañaron a su alojamiento, y él les pidió que lo dejaran solo durante media hora. Cerró entonces con llave la puerta, tomó un revólver y se saltó la tapa de los sesos. La causa del suicidio fue para todo el mundo un misterio, menos para nosotros.

Esta aventura y otra ocurrida algún tiempo más tarde fueron como un jarro de agua fría para nuestros desfogues colectivos, y entre ambos dieron al traste con los «simposios» de Bryancourt.

—¿Cuál fue ese otro caso?

—Sin duda recuerda usted el asunto ampliamente comentado en los periódicos de la época. Un viejo caballero, cuyo nombre ya he olvidado, fue lo suficientemente tonto como para dejarse coger en el acto de sodomizar a un soldado, un joven recluta recién llegado al pueblo donde el caballero residía. El asunto causó un gran revuelo, porque el citado individuo ocupaba un alto puesto en la sociedad del momento, y había mantenido hasta entonces una reputación intachable e incluso una piedad ejemplar.

—¡Cómo...! ¿Cree usted posible que una persona verdaderamente religiosa puede llegar a entregarse a ese género de vicios?

—Por supuesto. Es el vicio el que nos hace ser supersticiosos. ¿Y qué es la superstición sino una forma desnaturalizada de la religión? Es el pecador y no el santo quien tiene necesidad de salvadores, mediadores y sacerdotes. Si nada tiene usted que expiar, ¿para qué sirve la religión? La religión en modo alguno es un freno para una pasión que, aunque denominada «contra natura», se halla tan profundamente arraigada en nuestra naturaleza que la razón no puede ni extirparla, ni enmascararla. Los jesuitas son los únicos sacerdotes de verdad.

Lejos de abandonar al pecador a la desesperación de la condenación eterna, como hacen los sectarios, poseen mil paliativos para las enfermedades que no pueden curar, y un bálsamo especial para cada conciencia que este excesivamente cargada de pecados.

Pero volvamos a nuestra historia.

El tiempo pasaba y yo vivía feliz con mi amor por Teleny; porque ¿quién no hubiera sido dichoso con alguien tan hermoso, tan bueno y tan hábil artista como él? Sus ejecuciones eran ahora tan geniales, tal llenas de alegría y vida, tan llenas de exuberante alegría, que su reputación crecía por momentos ante el favor del público, y cada vez eran más numerosas las pasiones que despertaba entre las damas. ¿Pero qué podía temer yo? ¿No era acaso todo mío?

—¿No estaba usted celoso?

—¿Cómo podía estarlo si él no me daba el más mínimo motivo? Yo tenía la llave de su casa y podía entrar en ella a cualquier hora del día o de la noche. Si dejaba la ciudad, yo lo acompañaba. No; yo estaba seguro de su amor, y de su fidelidad por tanto, del mismo modo que él tenía plena confianza en mí.

Yo reconocía en él, sin embargo, un gran defecto: como artista, tenía la prodigalidad del artista. Aunque ganara por entonces más que suficiente para vivir de manera confortable, sus conciertos no le daban aún lo bastante para mantener el plan de vida principesco que él deseaba. Yo le remachaba con frecuencia sobre este punto, y él me prometía invariablemente no seguir derrochando su dinero, pero su naturaleza estaba tallada en el mismo material de que estaba hecha la opera de Manon Lescaut.

Sabiendo que sus deudas le ocasionaban grandes trastornos por parte de sus acreedores, en varias ocasiones le había rogado que me entregase sus facturas, para liquidarlas yo por mi cuenta, permitiéndole así reiniciar una nueva vida, libre de preocupaciones. Pero no quería oírme hablar de ello.

—Yo me conozco mejor que tú —me decía él—. Si acepto una vez, aceptaré dos, ¿y qué pasaría entonces? Que terminaría por ser tu entretenido.

—¡Qué gran desgracia! —Repliqué yo—. ¿Y piensas que por eso te amaría menos?

—¡Oh, no! Tal vez incluso me amarías más, cuanto mayores fueran los gastos que yo te ocasionara, pues a menudo amamos a nuestros seres queridos en razón proporcional a los sacrificios que nos imponemos por ellos; a mí, en cambio, tal vez eso me llevara a amarte menos. La gratitud es una carga insoportable para la naturaleza humana. Soy tu amante, Camille, pero no me hagas caer más bajo —dijo con mucho ardor—. ¿Ves? Desde que te conozco he intentado conjuntar ambas cosas. Un día u otro lograré desembarazarme de mis deudas. Pero no me tientes, por favor.

Y, acto seguido, me cerraba la boca con sus besos. ¡Cuán bello me parecía en esos momentos! Aún puedo verlo, recostado en su cojín de raso azul con los brazos bajo la cabeza, en una postura llena de abandono y de gracia felina.

Mi trabajo en la oficina me llevaba bastante poco tiempo. Permanecía allí lo justo para supervisar mis negocios y dejar a Teleny tiempo suficiente para practicar su arte. El resto del día, lo pasábamos juntos.

En el teatro siempre ocupaba el mismo palco que él, bien fuera solo o con mi madre.

Pronto fue de dominio común que ninguno de los dos aceptaba invitaciones por separado. En los paseos públicos se nos veía siempre juntos, ya fuera a pie, a caballo o paseando en coche. De modo que nuestra unión, aún sin estar bendecida por la Iglesia, no podía ser más íntima.

Nos habíamos hecho inseparables. Nuestro amor se acrecentaba de día en día, y el fuego, en vez de apagarse, se alimentaba de sí mismo. Vivía entonces mucho más en su casa que en la mía.

Que los moralistas me expliquen, a la vista de esto, cuál

es el mal que hacíamos, y el que practica la ley me diga cuál es el pretendido mal que causábamos a la sociedad, y que, según él, nos hace peores que el peor de los criminales.

Aunque no vestíamos de la misma manera, siendo, sin embargo, como éramos, de la misma talla y parecida corpulencia, unido esto a la semejanza de edad y de gustos, todo esto hizo que la gente, viéndonos constantemente juntos y tomados del brazo, terminara por identificarnos.

Nuestra amistad terminó por hacerse proverbial, y el «no hay Camille sin René» pasó a convertirse en una especie de proverbio.

Mi interlocutor, en tono asombrado, me preguntó:

—Confiese que no le entiendo. Usted, que se había sentido completamente aterrorizado por un anónimo, ¿no temía lo que la gente pudiese sospechar sobre la naturaleza real de semejante relación?

—El temor había desaparecido. ¿Acaso el temor al proceso de divorcio llega a impedir a la adúltera que siga viendo a su amante...? ¿O impide acaso las penas de la justicia común al ladrón que robe...? La tranquila dicha que nos rodeaba había terminado por adormecer mi conciencia. Por otro lado, la conciencia que había adquirido en las reuniones del taller de Bryancourt de no ser el único miembro de la sociedad privado por el amor socrático, y de que los hombres de más alta inteligencia y más refinados sentimientos eran sodomitas como yo, me daba confianza y tranquilidad. No son los suplicios del infierno los que nos atemorizan, sino la despreciable compañía que aún allí podemos encontrar.

Las damas, no obstante, comenzaron a sospechar de la naturaleza de nuestra excesiva amistad, y como más tarde pude saber, se nos había dado ya el nombre de «los ángeles de Sodoma», queriendo dar a entender con esto que ni los mismos ángeles habían escapado a tal destino. Pero ¿qué podía significar que un grupo de lésbicas nos acusaran de compartir placeres idénticos a los suyos?

—¿Y su madre? ¿No intuía ella en modo alguno la

naturaleza de sus amores?

—Usted ya sabe que el marido siempre es el último que sospecha de la infidelidad de la esposa. Lo único que la sorprendió fue el cambio operado en mí. Y a menudo me preguntaba cómo había ocurrido que llegara a intimar de aquel modo con el hombre a quien anteriormente había demostrado tanto desprecio; y añadía: «Ya ves que no pueden tenerse prejuicios, ni juzgar a la gente sin conocerla».

Ocurrió, sin embargo, una circunstancia que apartó de Teleny el pensamiento de mi madre.

Una joven bailarina del cuerpo de ballet, se sintió muy atraída hacia mi persona, fuera porque sintiese un repentino capricho por mí, o bien, porque me considerase una presa fácil. Me escribió una larga carta en la que me invitaba a hacerle una visita.

No sabiendo cómo rechazar semejante honor, y no deseando tampoco tratar desdeñosamente a una mujer, le envié una soberbia cesta de flores, a la que añadía un libro en el que se explicaba el lenguaje de éstas.

Ella comprendió enseguida que mi corazón estaba ya comprometido, y a cambio de mi presente, recibí una bellísima fotografía suya. Creía mi deber ir a darle las gracias por tal regalo; y como consecuencia de mi visita nos hicimos pronto muy buenos amigos, pero «amigos», y nada más.

Habiendo yo, sin embargo, dejado a la vista la carta y el retrato en mi habitación, mi madre, que ciertamente había visto una, no dejó de ver también el otro. Y esto sirvió para que, si en algún momento lo había pensado, terminara de conceder carácter culpable a mi relación con Teleny.

Pero en sus conversaciones comenzaron a deslizarse a partir de entonces ligeras insinuaciones sobre la locura de los hombres que llegan a arruinarse, llevados por su amor por las chicas del teatro, o el mal gusto de quienes se casan con su amante, o con la amante de otros. Pero eso fue todo. Sabía, por otro lado, que yo era mi propio dueño, y jamás se mezclaba en nada que pudiera afectar mi vida privada, dejándome, como ya he dicho, las manos enteramente libres. Si tenía algún mal asunto entre manos, tanto mejor para mí, o tanto peor. Ella estaba feliz de que tuviera el buen gusto de respetar las apariencias y mantener en secreto mis amoríos. Se pensaba que sólo un hombre que tuviese más de cuarenta y cinco años, y que ha decidido permanecer soltero de por vida, puede desafiar a la opinión pública y mantener abiertamente una amante.

Por otro lado, y seguramente no queriendo que yo pudiera interesarme por sus frecuentes viajes, me dejaba plena libertad para actuar a mi aire.

Mi oyente dijo:

—Es que su madre, era todavía una mujer joven por aquella época, ¿no es así?

—Eso depende de lo que usted entienda por «mujer joven». Tenía entonces treinta y siete o treinta y ocho años, aunque parecía más joven. Había sido considerada siempre como una mujer muy bella y deseable.

Tenía, ciertamente, una gran belleza. Alta, con unos brazos y unos hombros espléndidos y una hermosa cabeza; llamaba siempre la atención por todas partes donde iba. En sus grandes ojos podía leerse una imperturbable calma; sus cejas, unidas casi a la raíz de la nariz, eran lisas y espesas; sus cabellos negros y abundantes tenían un ondulado natural y su frente era baja y amplia, realzada por a continuación de una nariz pequeña y un poco afilada. Reconozco que en ella, todo estaba muy bien combinado para conseguir como efecto una aspecto elegante y escultural.

Lo mejor que tenía era la boca, que no solamente presentaba un dibujo perfecto, sino que además sus labios, parecidos a dos cerezas, despertaban inevitablemente el deseo de besarlos. Semejante boca debe haber tentado a todos los hombre temperamentales que la contemplaban, como si, dotada de un filtro amoroso, sedujera con él hasta los corazones más fríos.

Eran, en realidad, pocos los pantalones que no se

henchían en presencia de mi madre, a pesar de los esfuerzos de sus propietarios por disimular el dardo que en ellos rebullía. Y éste es, en mi opinión, el mejor tributo que pueda rendirse jamás a la belleza de una dama, ya que no hay en él disimulo posible.

En cuanto a sus maneras y su comportamiento, estaban impregnados de una dignidad y una calma tales, como sólo pueden hallarse en la alta aristocracia inglesa, aunque son también rasgo característico del campesino italiano y de la gran dama francesa, y encuentran su ejemplificación perfecta en la nobleza alemana. Parecía haber nacido para reina de salón, y aceptaba, como cosa lógica, y sin la menor sombra de orgullo, los artículos elogiosos que diariamente le dedicaban las revistas de moda, así como los homenajes de respeto de una legión de admiradora, ninguno de los cuales se atrevió jamás a flirtear con ella.

Era, en una palabra, a los ojos de todos, una especie de Juno, una mujer irreprochable a la que tanto podía atribuirse un carácter volcánico como gélido.

—¿Y puedo preguntarle qué era realmente?

—Una dama que recibía y rendía innumerables visitas y prodigaba su presencia por todas partes, tanto en las cenas que ella daba, como en las que aceptaba; el modelo perfecto de la anfitriona. El dueño de una tienda hizo un día la siguiente observación: «Es de alegrarse el día en que madame Des Grieux se detiene ante nuestra vitrina, porque llama la atención tanto de los caballeros como de las damas, que compran sin dudar lo que ha retenido la atención de su ojo artista».

Poseía además el mejor encanto que puede tener una mujer. Tenía una voz dulce, tierna y profunda, porque aunque es posible acostumbrarse a una esposa de rostro vulgar, jamás lo será escuchar de continuo una voz gritona, agria y aguda.

—Se dice que usted se le parece mucho.

—¿Sí? Sea como sea, espero que no creo que ensalzo a mi

madre, como Lamartine alababa a la suya, para añadir con modestia: «yo soy su viva imagen».

—Pero ¿cómo es posible que, habiendo quedado viuda tan joven, no volviera a casarse nunca más? Rica y bella como era, debió contar con más pretendientes de los que jamás tuvo Penélope.

—Algún día le contaré su vida con detalle; entonces comprenderá porqué preferiría su libertad a los lazos del matrimonio.

—Pero ciertamente le adoraba, ¿o no es así?

—Sí, es así. Y yo le pagaba con idéntica admiración. Si yo no me hubiera entregado a esas inclinaciones que jamás me hubiera atrevido a confesarle, y que sólo las lesbianas pueden comprender. Si, como los demás jóvenes de mi edad, hubiera llevado una alegre vida de fornicación con las prostitutas, amantes y amables dependientas, hubiera podido hacerla confidente de mis hazañas eróticas, pues, en los momentos de felicidad, generalmente nuestros sentidos quedan estragados por el exceso, mientras que el recuerdo, evocado a nuestro placer, se convierte a la vez en placer de los sentidos y del espíritu. Pero Teleny había acabado por levantar una barrera entre nosotros, y creo que ella estaba celosa por esto, pues su nombre empezaba a resultarle tan desagradable como a mí me había sucedido con anterioridad.

—¿Es que acaso comenzaba a sospechar la naturaleza de su relación?

—No sé si sospechaba, o simplemente estaba celosa de mi afecto por él. Como quiera que sea, una horrible crisis empezaba ya a prepararse, y nuestros destinos iban pronto a quedar sumidos en una catástrofe que nadie podía prever.

Un día en que, habiendo sido anunciado una gran concierto en Brighton, el artista contratado cayó repentinamente enfermo, le pidieron a Teleny para que le sustituyese.

Era éste un honor que no podía rechazar.

—Aunque sólo será por un día o dos, me entristece

mucho tener que dejarte —me dijo—. Ya sé que en estos momentos estás muy ocupado y que es imposible que me acompañes.

—Sí; así es —respondí con tristeza—. Este es un momento realmente malo para ir, a menos que yo...

—No, no. Sería una locura; no te lo permitiré.

—Me gustaría ir porque hace mucho tiempo que no te escucho, porque en el último concierto que actuaste, tampoco pude ir a escucharte.

—Tú estarás presente en espíritu, si no corporalmente; te imaginaré sentado en tu sitio de siempre, y tocaré para ti, y solamente para ti. Por otra parte, jamás hemos permanecido mucho tiempo separados, desde el día de la carta de Bryancourt. Esta va a ser una ocasión estupenda para comprobar si podemos permanecer alejados uno del otro, durante dos días. ¿Quién sabe...? Tal vez llegue el momento en que...

—Pero ¿qué quieres decir?

—Nada. Sólo que tú puedes llegar a cansarte de esta vida como todo el mundo, y casarte, tener una familia.

—¡Una familia...! —Exclamé yo, riendo—. ¿Acaso esa carga insoportable resulta imprescindible para hacer la felicidad de un hombre?

—Mi afecto puede llegar a pesarte.

—René, no hables así. ¡No quiero que lo vuelvas a hacer! ¿Cómo podría yo vivir sin ti?

Una sonrisa incrédula se dibujó en sus labios.

—¡Cómo...! ¿Es que acaso dudas de mi amor?

—¿Puedo dudar de la luz del día? Pero —continuó él, envolviéndome con su mirada—, ¿dudas tú del mío?

—No. ¿Me has dado acaso el menor motivo de duda?

—¿Y si yo te fuera infiel?

—Teleny —dije yo, con el corazón muy angustiado—. Yo creo que tú tienes otro amor.

Lo veía ya en brazos de un rival, colmándolo de aquel placer que era sólo mío.

—¡No! —Dijo—. ¡No lo tengo! Pero ¿si lo tuviera?

—Si es que sucede, entonces, mi vida quedaría para siempre ensombrecida.

—No para siempre. Sería solamente por algún tiempo. Pero ¿me perdonarías?

—Sí: si aún me amases.

La idea de perderlo me partía el corazón, y mis ojos se llenaban de lágrimas. Yo lo tomé entre mis brazos, apretándolo con todas mis fuerzas, mientras mis labios buscaban los suyos; éstos vinieron a entregárseme, y pronto mi lengua estuvo en su boca. Cuando más lo besaba mayor era mi tristeza, y más mi ardiente deseo.

Me detuve un momento para contemplarlo. ¡Estaba tan bello aquel día...! Su belleza era casi etérea. Aún ahora puedo verlo aureolado por sus sedoso y suave cabello, semejante a un rayo de sol que atraviesa una copa de cristal llena de un vino color topacio, y la boca entreabierta, de húmedos labios, nunca mancillados por la enfermedad ni la palidez.

Y sus ojos luminosos, en los que el fuego interior y oscuro dulcificaba la voluptuosidad de la boca; sus mejillas, redondas y sonrosadas, como las de un niño, que contrastaban con el ancho pecho, lleno de vigor masculino, en el que cada uno de los dioses del Olimpo parecía haber dejado su huella.

¡Qué ardiente y loca pasión desataba en mí su viril belleza! Sí; tengo que confesarlo. Me parezco a esos hombres ardientes nacidos en las laderas volcánicas de Nápoles, o bajo el brillante sol de Oriente. Después de todo, prefiero parecerme a Brunette Latum, un hombre que amaba a otros hombres, que al Dante, que los enviaba a los infiernos, mientras él mismo se colocaba, en una fría visión creada por su imaginación, en ese lugar estéril llamado Cielo.

Teleny me devolvió mis besos con un ardor apasionado. Sus labios eran de fuego, su amor se mudaba en rabia enfebrecida. No sé qué fue lo que me ocurrió, pero sentí que si bien el placer podía llegar a matarme, no podría en modo alguno llegar a calmarme.

Hay dos clases de deseos de los sentidos, igualmente fuertes e igualmente imperiosos: uno es la pasión carnal, que prende en los órganos genitales y hace a los hombres semejantes a bestias; el otro, la fría sensualidad de la fantasía, la irritación cerebral que inflama la sangre más pura. El primero está en relación con la concupiscencia de la juventud, es embriagador como el vino nuevo, resulta natural a la carne, y se satisface tan pronto ésta ha obtenido su porción de amor y los receptáculos sobrecargados arrojan por fin la semilla que los desborda; a continuación viene esa languidez deliciosa que sigue al esfuerzo amoroso e invita a un sueño reparador.

El segundo prende en la cabeza; es efecto de la imaginación, es la lujuria insaciable, la mórbida avidez de un hambre jamás saciada. Los sentidos, como ocurría con Mesalina [*], buscan, sin dar reposo a la excitación, siempre lo imposible.

[*] *Mesalina: hija del cónsul Marco Valerio. Tercera esposa del emperador Claudio. Famosa por su belleza y las continuas infidelidades a su esposo.*

Las eyaculaciones espermáticas, lejos de calmar, irritan aún mucho más los conductos seminales, pues las excitaciones de una imaginación lúbrica persisten aún después de la evacuación del semen. Y, si en lugar del fluido cremoso, lo que surge es una sangre de olor acre, la sensación entonces es de una dolorosa irritación. Y si, por el contrario, la erección no ocurre, y el pene permanece flácido, el sistema nervioso queda igualmente irritado por un deseo impotente. El resultado es que las ilusiones del cerebro sobreexcitado nunca dejan de tener funestas consecuencias, tanto si obtienen resultado, como si no.

Ambos deseos combinados, confluían en mi al abrazar a Teleny contra mi pecho, sintiéndome a la vez penetrado de deseo y lleno de amarga tristeza.

Había arrancado el cuello y la corbata a mi amigo para dejar al descubierto su cuello y poder sentirlo con mis labios; poco a poco fui despojándolo de toda su ropa, hasta tenerlo enteramente desnudo en mis brazos.

¡Qué voluptuoso modelo de líneas, con sus poderosos hombros, su pecho ancho y saliente, tan suave y fresco como los pétalos del nenúfar, y sus miembros no menos poderosos que los de Léotard, el prestigioso acróbata por quien todas las mujeres estaban suspirando! ¡Y sus piernas y sus muslos, semejantes por su gracia exquisita a las estatuas de Apolo!

Cuanto más lo miraba más aumentaba mi pasión. Pero no me bastaba con verlo; tenía que añadir al placer de la vista el del tacto; tenía que gozar del contacto de su carne musculosa y de sentirla bajo mis manos, acariciar su pecho y las sinuosidades de su espalda. De allí mis manos descendieron hasta sus dos hemisferios, y tomándole las nalgas las apreté contra mí. Luego, despojándome yo también de mis ropas, pegué mi cuerpo al suyo, me froté contra él y me contraje sobre él como una serpiente. Extendido sobre aquel cuerpo amado, y con mi lengua alojada en su boca, me esforzaba por capturar su lengua, que se escabullía dentro de la concavidad, para apuntar fuera, cuando yo retiraba la mía, de modo que ambas parecían realizar un enloquecedor juego del escondite, que hacía estremecer completamente nuestras venas de voluptuosidad.

Los dedos de cada uno se hundieron en el sedoso matorral del otro, ensortijándose entre los rizos y acariciando los testículos, tan dulce y suavemente que apenas se sentían, pero produciendo un efecto electrizante, que nuestros miembros estuvieron a punto de eyacular.

Ni la más experta de las prostitutas hubiera jamás logrado proporcionarme las delicadas sensaciones que Teleny me hacía experimentar, ya los experimentados toques de las mujeres provienen siempre de los placeres que ellas mismas conocen, mientras que las sensaciones más vivas que no corresponden a su sexo les son desconocidas. De igual manera, resulta imposible que ningún hombre pueda procurarle a una mujer tanto placer como puede darle una lesbiana, ya que sólo ésta sabe cómo, dónde y de qué modo acariciar. La quintaesencia del placer sólo pueden proporcionárnosla las personas de nuestro propio sexo.

Nuestros cuerpos se hallaban en tan estrecho contacto como el que mantienen entre sí el guante y la mano, los pies se hacían cosquillas mutuamente, mientras nuestros muslos y las rodillas, íntimamente enlazados, parecían formar una sola carne.

A pesar del esfuerzo que me costaba separarme de su abrazo, sintiendo su pene erecto pegado a mi vientre, me disponía ya a separarme para tomar en mi boca su instrumento de placer, cuando él, sintiendo a su vez la túrgida humedad del mío, próximo ya al desbordamiento, me tomó entre sus brazos y me tendió sobre el sofá.

Abriéndome los muslos, me tomó las piernas entre las suyas, enroscando éstas en mí de tal manera que sus talones quedaban apoyados en mis hombros.

Durante un momento me sentí como dentro de un cepo, sin posibilidad de movimiento alguno, e inclinado sobre él como sobre una mujer.

Colocó entonces un cojín bajo sus glúteos, y, apartando las piernas, tomó mi verga y la llevó hasta su ano. La cabeza húmeda y temblorosa del pene penetró sin dificultad en el hospitalario asilo que ante él se ofrecía. Un leve empujón de caderas y el glande quedó perfectamente encajado. El esfínter, no obstante, se contraía de tal modo que el balano avanzaba con dificultad; yo lo empujaba suavemente, para prolongar tanto como fuera posible la inefable sensación. Un segundo embate y la mitad del pene quedó encajada. Lo saqué entonces media pulgada que, por el placer que sentí al hacerlo, me pareció casi un metro. Un tercer embate, y el pene quedó hundido hasta la raíz, tan estrechamente envainado, que me resultaba imposible moverlo; tenía que limitarme a agitarlo en el interior de la carnosa vaina, con mi vientre pegado a sus nalgas, lo que proporcionaba a ambos un cosquilleo inefable.

Mi placer era tan vivo que me parecía como si un fluido celeste se estuviera derramando sobre mi cabeza, descendiéndome luego por toda la columna vertebral.

Seguramente las flores deben sentir una sensación parecida bajo la tormenta, después de haber sido abrasadas por el sol del estío.

Teleny me rodeó de nuevo con sus brazos, apretándome aún más fuerte. Yo me contemplaba en sus ojos, y él en los míos.

Permanecimos así un buen rato, sin movernos, ya que el más mínimo movimiento nos hubiera llevado a la eyaculación, y lo que sentíamos era demasiado delicioso como para no querer prolongarlo al máximo. Temblábamos de placer desde la raíz del cabello hasta la punta de los pies, y toda nuestra carne se agitaba, como se agita el agua bajo la brisa cálida.

Un goce tan intenso, sin embargo, no podía durar indefinidamente; unas pocas contracciones del esfínter y el pene adquirió de nuevo libertad de movimientos. Lo hundí entonces con vigor; mi respiración se hizo anhelante, y rugí, cercano al éxtasis. El líquido espeso y ardiente saltó lentamente y a largos intervalos.

Y, mientras yo me frotaba contra él, Teleny participaba de todas mis sensaciones, ya que apenas acababa yo de vaciar mi última gota cuando me sentí inundado por su propia esperma. Separamos entonces nuestras bocas, como si cada uno hubiera aspirado de la otra hasta el último respiro. Los ojos de ambos habían perdido casi la visión, y uno y otro quedamos sumidos en esa postración divina que sucede al éxtasis.

Inmóviles y sin voz, no pensábamos en otra cosa que en nuestro mutuo amor, inconscientes de todo lo que no fuera el placer de sentirnos el uno contra el otro, cuerpos sólo, sin individualidad, confundidos y mezclados como estábamos.

Nuestros corazones latían al unísono e idénticos pensamientos informes flotaban en nuestros cerebros.

¿Por qué en aquel momento no nos fulminó Jehová a ambos...? ¿No lo habíamos acaso provocado bastante? ¿Cómo es que aquel Dios celoso no mostró envidia por nuestra felicidad? ¿Por qué no arrojó contra nosotros su rayo vengador...? ¿Por qué no nos arrojó en aquel mismo instante a los infiernos?

Después de todo, ¿es acaso el infierno un lugar tan temible? Tal vez no sea en realidad más que el paraíso de aquellos a los que la naturaleza ha creado para habitarlo. ¿Protestan acaso los animales por no haber sido creados «hombres»? ¿Por qué, pues, habríamos de protestar nosotros por no haber nacido «ángeles»?

Nos parecía en aquel instante flotar entre el Cielo y la Tierra, sin tomar en cuenta que lo que ha tenido principio también debe tener fin.

En aquellos momentos, las sensaciones que nos llenaban eran tan embriagantes que el blando sofá en que nos recostábamos nos parecía un lecho de nubes, sobre el que se extendía un silencio de muerte.

El ruido confuso de la gran ciudad parecía estar suspendido, o al menos no llegaba a nuestros oídos. ¡Ojalá la Tierra se hubiera detenido para siempre en su rotación y la mano del tiempo hubiera podido detener su funesta marcha!

Recuerdo haber deseado morir en medio de aquel plácido estado de sueño, en aquel éxtasis de magnetismo, en el que el cuerpo y el espíritu, sumidos en un sopor vecino al de la muerte, tienen el mínimo de conciencia preciso para percibir su aniquilamiento temporal.

De repente, el zumbido estridente de un timbre eléctrico nos sacó de tan dulce somnolencia. Teleny, sobresaltado, se levantó a toda prisa y corrió a abrir. Un instante después, volvió con un telegrama en la mano.

—¿Qué ocurre? —Pregunté yo.

—Se trata de un mensaje —respondió, mirándome fijamente, con un ligero temblor en la voz.

—¿Tienes que irte?

—Sí. ¡Es necesario! —Dijo él; y sus ojos se llenaron de tristeza.

—¿Te resulta desagradable?

—Desagradable no es la palabra; tendrías que decir insoportable. Ya que es la primera vez que nos separamos.

—Sí, pero espero que sea sólo por un día o dos.

Él con acento sombrío, dijo:

—Un día o dos es el espacio de tiempo que separa a la vida de la muerte; es la fisura en el laúd que empieza ensordeciendo la sonoridad para, inmediatamente, sumirlo en el silencio.

—Teleny, desde hace varios días hay algo que te está entristeciendo. Algo que no llego a explicarme. ¿No querrías explicar tu secreto a tu amigo?

Abrió los ojos, como si observara las profundidades de un pozo sin fondo, y sus labios adoptaron una expresión de dolor. Y con solemne lentitud dijo:

—¡Es mi destino...! ¿Has olvidado acaso tu visión profética del concierto de caridad?

—¿Quieres decir cuando Adriano estaba llorando la muerte de Antínoo?

—Sí.

—Una visión de mi cerebro acalorado por los encantos de esa música húngara tuya, tan sensual, y al mismo tiempo tan llena de melancolía.

Él sacudió la cabeza.

—No, era algo más que una mero capricho de tu imaginación.

—Se ha efectuado un cambio en ti, Teleny. No eres ya el que eras.

—Creo que he sido muy feliz. Más de lo que nunca pudiera esperar. Pero nuestra felicidad estaba construida sobre la arena. Un vínculo como el nuestro...

—No bendecido por la Iglesia, sí, estoy de acuerdo, y que además choca con los sentimientos virtuosos de la mayoría de la gente.

—Efectivamente; eso es. En semejante tipo de amor, hay siempre una mancha en el interior de la fruta, que poco a poco va extendiéndose hasta pudrirla entera. ¿Por qué tuvimos que encontrarnos, o mejor, por qué uno de nosotros no nació mujer...? Todo se hubiese solucionado si tú hubieses sido una de esas muchachas.

—Vamos, deja de lado todas esas fantasías morbosas y dime francamente si podrías amarme aún más.

Él me lanzó una mirada llena de tristeza, pero no pudo decidirse a decir una mentira. Pasado un instante, añadió en tono lúgubre:

—Hay amores que deben durar aún después de haberse extinguido los ardores de la juventud. Dime, Camille, ¿es así tu amor?

—¿Por qué no? ¿No puedes permanecer para siempre tan enamorado de mí como yo lo estoy de ti...? ¿O es que debo sólo hacerte caso en razón del placer que me procuras...? Tú sabes muy bien que mi corazón suspira por ti aún después de haber satisfecho mis sentidos y aplacado mi deseo.

—Sin embargo, sin mí, hubieras podido llegar a amar a una mujer, a la que habrías hecho tu esposa.

—Y hubiera descubierto demasiado tarde que había nacido con otras necesidades. No; tarde o temprano hubiera padecido mi destino.

—Todo puede ser muy diferente ahora; saturado ya de mi amor, puedes casarte y olvidarme.

—¡Jamás...! ¿Pero no será que estás confesando lo que te gustaría hacer a ti...? ¿Vas a hacerte puritano, o, como la Dama de las Camelias y como Antínoo, ¿piensas que es necesario sacrificarte por mí en el altar del amor?

—No te burles, te lo ruego.

—No, voy a decirte lo que vamos a hacer. Dejemos Inglaterra. Marchémonos a España o al sur de Italia. Incluso podíamos abandonar Europa, si así lo quieres, y vayamos al Oriente, donde seguramente ambos hemos vivido una vida anterior, y que yo quiero considerar como el lugar donde transcurrió mi infancia. Allí, desconocidos de todos, el mundo nos olvidará.

Teleny, hablando para sí, murmuró:

—¡Sí, sí...! Podría ser, pero, ¿puedo realmente dejar esta ciudad?

Yo sabía que desde hacía algún tiempo Teleny venía siendo acosado a causa de sus numerosas deudas, y que lo usureros le amargaban su vida.

Al enterarme de esto, y sin que él llegara a saberlo, importándome poco lo que pudiera pensarse, pasé por casa de todos sus acreedores para hacerme cargo del pago de sus deudas. A pesar de que temía su reacción, porque había roto mi promesa de no ayudarle, iba a decírselo en aquél momento para que pudiese vivir con tranquilidad una vez de quitarse del peso que ensombrecía sus días, pero el Destino, el ciego, cruel e inexorable Destino, me lo impidió.

En el momento en que se lo iba a decir, llamaron de nuevo al timbre con insistencia. De haber sonado este timbre unos pocos minutos más tarde, ¡cuán diferentes hubieran sido nuestras vidas! Pero parece que todo esta escrito, como suelen decir los orientales.

Un criado le anunció que acababa de llegar el coche que debía conducirlo a la estación. Mientras se preparaba, lo ayudé a empaquetar sus efectos y todo lo que podía necesitar. Por casualidad di con una caja que contenía unos cuantos sombreros ingleses, y le dije en broma:

—Voy a meterte alguno en tu maletín. Tal vez puedan serte útiles.

Él retrocedió un paso y se puso pálido.

— Quién sabe —dije—. Tal vez una hermosa patrona...

—No te rías, te lo ruego —replicó él con tono enfadado.

—¡Oh! Ahora puedo permitírmelo. ¿Sabes que llegué a estar celoso de mi madre porque...?

Al oír estas palabras, Teleny dejó caer al suelo el espejo que en aquel momento tenía en sus manos, que quedó partido en mil pedazos.

Ambos, a la vista de aquellos trozos, nos quedamos espantados. ¿No era aquel acaso un mal augurio?

El tiempo pasaba. Teleny tomó la maleta y ambos bajamos a la calle.

Lo acompañé hasta la estación. En el camino estuve a punto de decirle que ya no tenía ninguna deuda, pero no me pareció el momento oportuno, Me prometí a mi mismo que se lo diría a su vuelta. Después, al bajar del coche, lo estreché entre mis brazos. Nuestros labios se unieron en un largo y último beso, lleno de afectuosa ternura, y no de lujuria.

Al separarme de él, tuve la impresión de quedarme sin alma. Mi amor era lo que me daba aliciente para vivir, y separarme de ese amor, era como arrancarme un trozo de carne. Toda mi alegría se iba con él. Lo seguí un trecho con la mirada, mientras él se alejaba a paso ligero, con su habitual gracia felina. A la puerta del vagón, se volvió por última vez, y pude notar su palidez mortal, y sus rasgos descompuestos, que le daban un aspecto de verdadero suicida.

Haciendo un último gesto de adiós, desapareció.

El sol, para mí, acababa de apagarse. La noche se extendía por el mundo. Lleno de desagradables temores, templando, me pregunté qué calamidad escondían tan tupidas tinieblas.

La evidente angustia de su rostro me había alarmado. Sabía que algo le preocupaba. Me di entonces cuenta de lo locos que estábamos para procurarnos nosotros mismos, y sin necesidad alguna, semejantes padecimientos, y me precipité fuera del coche de alquiler en que volvía a mi casa, para suplicarle que se quedara. Pero ya era demasiado tarde, y el tren ya se marchaba, llevándose a Teleny.

No me quedaba otra salida que escribir a mi amigo, pidiéndole perdón por haber hecho lo que con tanta frecuencia me había prohibido hacer, es decir, haber dado orden a mi agente de reunir todas las facturas que obraban a su nombre, para hacerlas efectivas todas. ¡Ay...! Esta carta jamás llegó a su poder, porque lamentablemente, mi intención se quedó en intención sólo.

Volvía a tomar otro coche y me dirigí hacia mi despacho por las calles populosas de las ciudad.

¡Cuán sórdido y vacío me parecía el mundo...! Estaba solo. Me sentía rodeado de hipocresía y falsedad.

Apenas tenía ganas de levantarme de la cama. A veces tenía la tentación de ahogarme en una botella de licor. Pero no lo hice. Prefería tener la cabeza despejada para pensar en mi amado.

Durante los tres últimos días, y a pesar de los urgentes requerimientos de mis negocios, había sido incapaz de hacer nada en mi despacho. La marcha de Teleny, no obstante, me hizo presentes todas estas obligaciones aplazadas y, olvidando un poco mi tristeza, me puse a responder la correspondencia pendiente y di las órdenes oportunas para entregar los pedidos más urgentes. Trabajé sin parar, más como una máquina que como una persona, y durante horas permanecí sumergido en complicadas transacciones comerciales. No obstante lo cual, mientras mi cabeza se hallaba ocupada por las necesidades contables, no podía apartar de mi pensamiento la cara de mi querido amigo. Esta reviviendo sus ojos cargados de tristeza y amargura, y su boca voluptuosa, en la que asomaba la amarga sonrisa de la despedida, mientras el amargo regusto de su último beso afloraba constantemente a mis labios.

Y, sin embargo, ¿por qué estoy yo trabajando...? ¿Era por afán de lucro, por satisfacer a mis empleados o por el trabajo en sí mismo...? Ciertamente no podía decirlo, Creo que trabajaba por la excitación febril que el trabajo proporcionaba, del mismo modo que se juega al ajedrez para distraer al cerebro de los pensamientos que lo oprimen.

Abandoné mi despacho al caer la noche.

¿A dónde debía ir ahora...? ¿A mi casa? Me hubiera gustado que mi madre estuviera ya de vuelta. Aquella misma tarde había recibido una carta suya, en la que me informaba que en vez de venir dentro de uno o dos días, como al principio había previsto, había decidido viajar hasta Italia por algún tiempo. Sufría un ligero ataque de bronquitis y temía que la humedad de Londres pudiera complicarlo.

¡Pobre mamá...! Su recuerdo me trajo a la cabeza el enfriamiento que nuestras relaciones había sufrido últimamente a causa de mi relación con Teleny; no porque mi afecto hacia ella fuera menor, sino porque Teleny ocupaba por entero todas mis facultades físicas y mentales. Ahora que Teleny estaba ausente yo sentía una cierta nostalgia de mi madre, y pensé escribirle una carta larga y afectuosa tan pronto como llegara a casa.

Entre tanto, vagaba al azar por las calles vacías. Después de haber dado varias vueltas, me encontré de pronto frente a la casa de Teleny. Mis pasos me habían conducido sin querer ante la casa de mi amigo, y yo contemplaba ahora, casi sin darme cuenta, sus ventanas. ¡Cuán querida y añorada para mí era aquella casa...! Hubiera querido besar uno a uno los escalones que él pisaba cada día.

La noche era oscura, y la calle, que solía ser muy tranquila, no era precisamente de las mejor iluminadas.

Por un momento me pareció ver una débil luz filtrarse por las rendijas de las ventanas. «Puro efecto de mi imaginación», pensé yo.

Con todo, agucé la vista. Y lo volví a notar. «No, no me equivoco —me dije—, hay luz allí dentro.» ¿Habría tal vez vuelto Teleny?

Tal vez había caído en la misma desolación que a mí me ahogaba. La visible angustia impresa en mi rostro podía tal vez haberlo paralizado, impidiéndole incluso tocar, y se había vuelto. Podía ser, incluso, que el concierto se hubiera aplazado.

Pero, ¿y si Teleny me había engañado?

La idea me parecía absurda. ¿Podía yo acaso sospechar de su infidelidad? Rechacé esta suposición como algo abominable, como una especie de mancha moral. ¡No...! Todo era posible excepto aquello. Tenía guardada la llave de su puerta en mi bolsillo. Al poco tiempo me hallaba ya dentro. Subí la escalera de puntillas, recordando la primera noche que había acompañado a mi amigo, y los besos que nos habíamos prodigado en cada escalón.

Sin él, en ese momento, las tinieblas pesaban sobre mí, envolviéndome y traspasándome el lama.

Me hallaba ya en el descansillo correspondiente a la puerta de su apartamento. Un gran silencio envolvía toda la casa. Y vi, de nuevo, un rayo de luz filtrarse por las rendijas de la puerta. ¿Se habrían olvidado Teleny o su criado de apagar la espita de gas del vestíbulo o una de las recámaras?

El recuerdo del espejo roto surgió de pronto en mi cabeza, y horribles presentimientos comenzaron a asaltarme. A pesar de mi esfuerzo, la horrible impresión de estar siendo suplantado en el afecto de Teleny volvió a perturbar mis pensamientos.

No podía ser. Aquello era demasiado ridículo. ¿Quién podría ser mi rival?

Con todo tipo de precauciones, introduje la llave en la cerradura; la puerta se abrió sin hacer ruido. Yo avancé sobre la espesa alfombra del pasillo, que ahogaba mis pasos, y me dirigí derecho y sin vacilación, aunque muy temeroso, a la habitación en donde, pocas horas antes, tantas delicias había experimentado.

La alcoba se hallaba iluminada.

Oí en su interior ruidos ahogados.

Pronto adiviné la naturaleza de tales ruidos, y por primera vez sentí, de verdad, el cruel suplicio de los celos desgarrarme el pecho. ¿Para qué había venido...? ¿Qué intentaba hacer?

Mis piernas vacilaban. Había puesto la mano sobre el pomo de la puerta, pero antes de abrir hice lo que muchos otros hubieran hecho en mi lugar. Temblando de la cabeza a los pies y, con el corazón comprimido, me agaché y miré por el hueco de la cerradura.

¿Era un sueño lo que mis ojos veían? ¿Es que estaba siendo juguete de una broma horrible y abominable pesadilla?

Hundí las uñas en mi carne para convencerme de que estaba despierto, para estar seguro de que no soñaba. Conteniendo la respiración, miré.

No era una ilusión. Allí, sobre aquella silla, tibia aún de los besos que ambos no habíamos prodigado, se hallaban sentados dos seres.

¿Quienes eran?

¿Había tal vez Teleny prestado por aquella noche su apartamento a un amigo? Sin duda había olvidado o considerado inútil avisarme del hecho.

Sí, eso era. Debía ser eso. Teleny no podía engañarme.

Volví a colocar el ojo sobre la cerradura. La luz de la alcoba, más brillante que la del vestíbulo, me permitía una perfecta visión.

Un hombre cuya cara no podía ver se hallaba sentado en aquel sofá que el espíritu ingenioso de Teleny había mandado hacer para aumentar aún más la voluptuosidad. Una mujer de cabellos castaños, cuyos largos rizos flotaban sobre los hombros, y vestida con un peinador de raso blanco, se hallaba sentada a horcajadas sobre sus rodillas, con la espalda vuelta hacia la puerta. Nada de lo que entre estos dos seres ocurría escapaba a mis miradas. La mujer no estaba en realidad sentada, sino que se sostenía sobre la punta de los pies, de modo que, con violentos movimientos, realizaba una especie de cabalgada sobre los muslos del hombre.

Rápidamente comprendí que a cada salto ella hundía entre sus muslos el pivote que bajo ella se erguía; y el placer que experimentaba era tan vivo que rebotaba como una pelota de goma, para caer de nuevo y devorar con su golosa vagina el bastón del placer que se envainaba en ella hasta la raíz. Quienquiera que fuera, gran dama o dependienta, ciertamente no era una novicia, sino mujer de gran experiencia, para lograr ensartar al mensajero de Citerea [*] con semejante maestría.

[*] *Citerea: isla griega que en la época rococó era el símbolo de total libertinaje.*

Su placer crecía hasta el paroxismo. Del paso había cambiado al trote, y comenzaba ahora un verdadero galope. De pronto, y en medio de su crisis amorosa, agarró con sus manos la cabeza del hombre que cabalgaba. Era evidente que el contacto de los labios de su amante y la erección y el frotamiento del útil que la penetraba, le provocaban un furor erótico tal que sus saltos se redoblaban, y también su rapidez, según se aproximaba al fin del placentero viaje.

El macho, entre tanto, después de haber estrujado entre sus manos los blancos lóbulos de su soberbio trasero, cosquilleaba ahora las puntas de sus senos, aumentando su goce con mil pequeñas caricias que la enloquecían.

En un determinado momento, la cola del peinador quedó enganchada en una de las patas del sofá. La mujer, estorbada en sus movimientos por este tropiezo, se separó un momento del abrazo de su amante, y con un movimiento rápido se arrancó la prenda, quedando enteramente desnuda en brazos de su amante.

Su cuerpo era tan espléndido que ni siquiera Juno en toda su majestad la hubiera igualado. Pero apenas tuve tiempo de contemplar su lujuriante belleza, su graciosa flexibilidad, la armoniosa simetría de sus líneas y su ágil modo de actuar en esta obra amorosa que ya tocaba su fin. Ambos comenzaban ya a estremecerse, recorridos por el cosquilleo eléctrico que precede al momento en que los conductos espermáticos, cargados hasta los bordes, van a soltar su carga.

Detrás de la puerta, yo escuchaba sus suspiros, sus rugidos, y los murmullos del éxtasis, ahogados en besos. De pronto, los dos cuerpos se contrajeron, se agitaron convulsivamente, y quedaron como fulminados por el exceso de placer.

Yo, en tanto, a pesar de la excitación que la escena me provocaba, sentía anidar la muerte en mi alma, ya que me resultaba difícil poner en duda que aquel hombre fuera mi amante.

En efecto, tras haber expuesto ante mis ojos asombrados su maravillosa belleza, la mujer se apartó por un momento, dejando al descubierto la parte del hombre que su cuerpo me impedía ver. Y, aunque la cara de éste quedaba en la penumbra, no me cupo ya la menor duda.

¡Era Teleny!

Sí; ante todo, su hermosa figura, luego su pene que tan bien conocía, y por último, y al reconocerlo estuve a punto de desmayarme, el anillo; el anillo del camafeo que yo lo había regalado.

¡Era él...! ¡Teleny! ¡Mi amor, mi vida, mi amado!

¿Cómo podría describir lo que en aquel momento sentí? ¿Por qué, me dije, no podía tener yo también parte en el festín, aunque de manera más humilde, penetrando como un mendigo por la puerta trasera?

Ya se disponía mi mano a hacer girar el pomo de la puerta, cuando, a punto de ceder a mi loco deseo, la dama cuyos brazos estrechaban aún el cuello de mi amado, dijo:

—¡Dios mío...! ¡Qué placer...! Hacía tiempo que no gozaba de esta manera.

Al oír esta voz, quedé como petrificado en mi sitio.

¡Aquella voz! ¿De quién era aquella voz? Pensé:

«Esa voz la conozco. Es perfectamente familiar...»

La sangre se agolpaba en mi cabeza, y el tintineo de mis oídos me impidieron al principio reconocerla. Luego, de repente, la verdad se manifestó con la fuerza de una rayo.

La puerta se hallaba cerrada por dentro con pestillo. Yo comencé a sacudirla con violencia. Y acabó por ceder.

Me detuve en el umbral. Sentía como si el piso fuera a hundirse bajo mis pies. Todo me daba vueltas en derredor.

Tuve que apoyarme en el dintel para no caer. Estupefacto, y atravesado por un inexpresable horror, me encontré, cara a cara, con mi propia madre.

Un triple grito de vergüenza, horror y desesperación resonó por todo el apartamento, un grito agudo que quebró el silencio de la noche, arrancando de su sueño a los inquilinos de aquella casa tranquila.

Mi oyente, con tono ansioso, preguntó:

—¿Y usted? ¿Qué hizo entonces?

—¿Que qué hice? En verdad, no podría decirlo: sin duda debía de hacer algo, pero no me acuerdo qué. Luego me fui, dando traspiés entre las sombras de la escalera, con la misma sensación de quien desciende a un pozo oscuro y profundo. Después, sólo puedo recordar mi carrera enloquecida por las calles desiertas, una carrera sin rumbo, penetrado del mismo terror que embargaba a Caín en su huida.

¡Huía de ellos, de ellos! Ya que no podía huir de mí mismo. La cabeza me daba vueltas, y las piernas se me doblaban, tropezando en mi carrera cada dos pasos.

¿Me había vuelto loco?

De repente, convulso y ya sin aliento, quebrado física y moralmente, caí al suelo desmayado.

No sé cuánto tiempo permanecía sin sentido, ni quién me recogió. Sólo sé que, al despertarme, me encontraba en una sala de hospital.

Pedí ser trasladado a mi casa. Me sentía enfermo casi moribundo. Transcurrieron tres días, durante los cuales no pude ver a nadie. Y, cuando digo tres días, quiero decir un lapso indefinido, ya que sólo las medicinas que me suministraba mi médico lograron dormirme y calmar momentáneamente mi agitación nerviosa. Pero ¿qué narcótico puede servir para curar a un corazón roto?

Al cabo de estos tres días, mi encargado vino a verme, y quedó asustado de mi aspecto.

¡Pobre hombre! No sabía qué decir. Evitó hablar de cualquier cosa que pudiera influir en mis nervios y me habló solamente de asuntos de negocios.

Yo lo escuchaba, fingiendo atención, por más que sus palabras no tuvieran para mí el más mínimo sentido. Luego, pude saber por él que mi madre había dejado la ciudad y había escrito desde Ginebra, donde había pasado a residir. No mencionó para nada el nombre de Teleny, y yo tampoco dije nada al respecto.

Sin embargo, ardía por saber lo que había sido de Teleny, y, al pensar en él, los temores volvían a mí de nuevo. ¿Habría partido tal vez con mi madre, sin dejarme el más mínimo mensaje?

Por otro lado, ¿qué hubiera podido decirme?

De haberse quedado en la ciudad, ¿acaso no estaría yo feliz de perdonarlo, cualesquiera que fuesen sus errores?

Tan pronto pude tenerme en pie de nuevo, y sin poder soportar ya por más tiempo aquella incertidumbre, ya que la verdad, por dolorosa que sea, siempre es preferible a la falta de certeza, fui hasta casa de Bryancourt; encontré su taller cerrado.

Me dirigí entonces a su casa. Hacía dos días que faltaba a ella, y los criados no pudieron decirme dónde encontrarlo.

Desesperado y sin consuelo vagué de nuevo por las calles, hasta ir a parar una vez más frente a la casa de Teleny. La puerta estaba abierta. Pasé a toda prisa ante la cabina del portero, temiendo que éste pudiera detenerme y decirme que mi amigo estaba ausente, pero nadie se dio cuenta de mi entrada. Subí de tres en tres los escalones, tembloroso y con los nervios a punto de estallarme. Coloqué con sigilo la llave en la cerradura y la puerta se abrió sin hacer ruido, como noches antes había ocurrido.

Penetré por el vestíbulo sin encontrar a nadie. Tan pronto como hube entrado, comencé a preguntarme qué es lo que estaba haciendo allí, y si no sería mejor dar media vuelta y echar a correr.

Mientras permanecía totalmente indeciso en medio del pasillo, pude escuchar un débil gemido, tras la puerta del dormitorio.

Tendí el oído... Nada.

Pero no, había oído bien. En la habitación de al lado se escuchaba una prolongada y débil queja. Temblando de horror, me precipité dentro de ella. El recuerdo de lo que allí vi me conmueve aún hasta la médula de los huesos.

Sobre la blanca piel del tapiz se hallaba, totalmente rodeado de un mar de sangre, el cuerpo sin señales de vida de Teleny.

Tenía clavado un pequeño puñal en mitad de su pecho, hundido hasta la empuñadura, y un débil hilo de sangre corría aún de la terrible herida.

Me abalancé sobre él. Todavía no estaba muerto. Exhaló un gemido y abrió los ojos.

Con el corazón en un puño, aterrado, perdí todo mi presencia de ánimo. Tomándome la frente entre las manos, intenté cohesionar mis pensamientos y dominar mi total desesperación, para poder ayudar al desgraciado. ¿Debía retirarle el puñal de la herida...? No, eso podría ser fatal.

¡Ah! ¡Si al menos tuviera algún conocimiento, por mínimo que fuera, de cirugía! Pero no lo tenía, y no me quedaba otra salida que pedir socorro.

Me precipité hacia el descansillo y grité con todas mis fuerzas:

—¡Auxilio...! ¡Auxilio...! ¡Socorro...!

En un abrir y cerrar de ojos pude ver al portero asomado a su garita y todas las puertas de la escalera abiertas de par en par. Seguí gritando con todas mis fuerzas, y luego, apoderándome de una botella de coñac del bar de las sala, corrí al lado de mi amigo, humedeciéndole con el licor los labios, gota a gota.

Teleny abrió levemente los ojos. Eran unos ojos velados, sin luz, pero la tristeza que solía ser habitual en su mirada, ahora, había adquirido una tal intensidad que me llenaba de angustia indecible. Me costaba trabajo sostener aquella mirada lastimosa y vacía, y sofocándome de llanto, estallé en sollozos.

—¡Oh, Teleny! ¿Por qué lo has hecho? —Murmuré—. ¿Cómo has podido dudar de mi perdón, de mi amor?

Él logró escuchar mis palabras e intentó hablar, para contestarme, pero no pudo articular palabra.

—¡No...! ¡No morirás...! No puedo separarme de ti. Tú eres mi vida.

Sentía que él apretaba mis dedos de una manera suave, imperceptible.

El portero, al contemplar aquel espectáculo terrible, se había quedado petrificado en el umbral.

—¡Un doctor...! —Le supliqué—. ¡Por amor de Dios, vaya a por un doctor! Tome un coche y corra a buscar al doctor más próximo.

Otras personas comenzaban a entrar también, pero pude alejarlas con un gesto.

No se marcharon. Estaban aterrados. Se mantenían a una prudencial distancia.

Los labios de Teleny se agitaron.

—¡Silencio! —Dije—. Va a hablar.

Se me agarrotaba el corazón pensando que no podría recoger sus últimas palabras. Después de varias tentativas del agonizante, terminé por captar una palabra:

—¡Perdón...!

—¡Yo te perdono...! Y no solamente te perdono sino que daría mi vida por salvarte.

Una chispa de luz atravesó por un momento sus pupilas, y su expresión cambió por completo, adoptando un gesto de profunda ternura. Sin poder soportar la visión de su cara, me sentí de nuevo ahogado por el llanto.

Él murmuró otra frase más, de la que más que comprender, pude adivinar el sentido, inducido por estas dos palabras:

—Tu madre... Mis deudas...

Y, dicho esto, quedó inmóvil. Los ojos se oscurecieron y quedaron velados como por una membrana, adoptando un tono vidrioso. Después, los labios se contrajeron en un rictus, quedando herméticamente cerrados. Luego de unos minutos, volvieron a abrirse en una bocanada espasmódica, exhalando su último respiro.

La alcoba se vio de pronto invadida de curiosos.

Vi a la gente hacer la señal de la cruz. Las mujeres se arrodillaban y murmuraban plegarias.

De pronto, sentí que mi cerebro estaba siendo traspasado como por un rayo.

—¡Está muerto...! ¿De verdad está muerto?

Su cabeza reposaba sobre mi pecho.

Lancé entonces un grito desgarrador. Pedí socorro una vez más. Finalmente, un doctor hizo su aparición.

—Ya no hay necesidad de nada —dijo—. Está muerto.

—¡Cómo! ¡Mi Teleny muerto...!

Miré a la gente que me rodeaba. Sin duda debía producirles miedo. Parecían retroceder ante mí. Todo empezó entonces a darme vueltas. La vista me falló, y caí al suelo desvanecido.

Varias semanas fueron necesarias para poder recuperar mis fuerzas. Una profunda tristeza me envolvía. La tierra me parecía un desierto que estaba obligado a atravesar solo, sin esperanza y sin meta.

Entre tanto, mi historia había pasado a ser del dominio público, aunque a medias palabras, a través de los periódicos. Era un escándalo demasiado sabroso como para dejarlo perderse, sin antes arrastrarlo por el barro. La misma carta que Teleny me había enviado antes de su suicidio, informándome que sus deudas iban a ser pagadas por mi madre, siendo ésta la causa de su primera y última infidelidad, había sido publicada como primicia en los periódicos. Así pues, mientras el Cielo me exculpaba de todo iniquidad, la tierra se levantaba contra mí, ya que, si bien la sociedad no exige a sus miembros ser intrínsecamente virtuosos, sí les exige, en cambio, guardar las apariencias y, por encima de todo, evitar el escándalo. Ésta es la razón de que un renombrado pastor, hombre con fama de santo, comenzara un sermón edificante sobre los hechos ocurridos, con estas palabras:

«Su recuerdo desaparecerá de la memoria de los hombres y ya nadie pronunciará su nombre.

«Será arrojado de la luz a las tinieblas, y todas las puertas se cerrarán a su paso.»

Y, a esto, todos los amigos de Teleny, respondieron con voz estentórea:

—Amén.

Mi interlocutor estaba en silencio. Parecía que no sabía que decir.

—Este ha sido el final de mi triste historia. Tengo que añadir que yo estoy como un alma en pena. Todo me da igual. Además, mi situación con los demás, no es nada agradable. Mis parientes, que antes me atosigaban con su presencia, ahora se avergüenzan y reniegan de su parentesco. Mis amigos me han abandonado porque no quieren que nadie piense algo extraño de ellos. Todos los que vivían en mi casa, incluso mis servidores, me consideran ya como un extranjero porque apenas vivo en la casa. Los que me conocen desde niño y antes me apreciaban, ahora, no quieren saber nada de mi. Incluso los niños, alentados por sus padres, me desprecian y se burlan de mi.

Así es la vida.

Visítenos en www.ladyvalkyrie.com

para

leer las nuevas novelas de otros grandes autores,
tanto en formato de papel
como en formatos electrónicos.

Made in the USA
Lexington, KY
02 November 2015